Erwin Lutzer

Fünf Minuten nach dem Tod

Widmung

In liebevoller Erinnerung an unsere
totgeborene Enkeltochter Sarah,
die schon jetzt das Angesicht unseres Vaters
im Himmel sehen darf.

ERWIN LUTZER

5 MINUTEN NACH DEM TOD

Erwin Lutzer
Fünf Minuten nach dem Tod

Best.-Nr. 271983
ISBN 978-3-86353-983-2
Christliche Verlagsgesellschaft mbH
Am Güterbahnhof 26 | 35683 Dillenburg
info@cv-dillenburg.de

Best.-Nr. 180242
ISBN 978-3-85810-639-1
Missionswerk Mitternachtsruf
Ringwiesenstrasse 12 | CH-8600 Dübendorf
kontakt@mnr.ch

Titel des amerikanischen Originals:
One Minute After You Die
A Preview of Your Final Destination

Wenn nicht anders angegeben,
wurde folgende Bibelübersetzung verwendet:
Elberfelder Bibel 2006, © 2006 by SCM R.Brockhaus in der
SCM Verlagsgruppe GmbH Witten/Holzgerlingen.
Außerdem wurde verwendet:
NeÜ, © 2010 Karl-Heinz Vanheiden und
Christliche Verlagsgesellschaft (NeÜ)

12. Auflage 2026

Übersetzung: Christiane Eichler
Satz und Umschlaggestaltung: Christliche Verlagsgesellschaft mbH
Umschlagmotiv: ©Shutterstock.com/Jozef Micic

Druck: GGP Media GmbH, Pößneck
Printed in Germany

Wenn Sie Rechtschreib- oder Zeichensetzungsfehler entdeckt haben,
können Sie uns gern kontaktieren: info@cv-dillenburg.de

INHALT

EINLEITUNG

WILLKOMMEN IN DER EWIGKEIT

Fünf Minuten nachdem Sie hinter den Vorhang der Ewigkeit gelangt sind, werden Sie entweder von Jesus persönlich begrüßt oder Ihren ersten Eindruck von einer Finsternis erhalten, wie Sie sie noch nie erlebt haben. Auf jeden Fall ist Ihre Zukunft unwiderruflich festgelegt und für immer festgeschrieben.

„Jedes menschliche Wesen", sagt C. S. Lewis, „ist auf dem Weg, ein vollkommenes Wesen zu werden, vollkommen über jede Vorstellung hinaus. Oder aber ein verdorbenes Wesen, das für jeden Retter unerreichbar ist." Er ermahnt uns, daran zu denken, dass „der langweiligste und uninteressanteste Mensch, mit dem man sprechen mag, eines Tages ein Geschöpf sein wird, das man versucht wäre anzubeten, könnte man es jetzt schon sehen, oder aber ein Schreckbild oder eine Horrorvision, die man, wenn überhaupt, in der jetzigen Welt nur in einem Alptraum sehen könnte ... Es gibt keine *normalen* Leute ... Wir haben es mit Unsterblichen zu tun, mit denen wir scherzen, zusammenarbeiten, die wir heiraten, verletzen und ausbeuten – unsterbliche Schreckgespenster oder ewige Wundergestalten."[1]

Die Menschen, die sich im Himmel wiederfinden, werden von Freunden umgeben sein, die sie auf Erden gekannt haben. Freundschaften, die durch den Tod auf grausame Weise beendet wurden, werden dort wieder aufgenommen, wo sie geendet haben. Jede Beschreibung des Himmels, die diese Menschen jemals gehört haben, wird vor dem Licht der Realität verblassen. Und zwar für *immer*.

Andere – und zwar viele andere – werden von Finsternis umhüllt sein, sich in einem Land der endlosen Reue und der Entbehrungen wiederfinden. Dort sind ihre Erinnerungen und Gefühle alle unversehrt, und die Bilder ihres Lebens auf der Erde werden sie ständig verfolgen. Sie werden an ihre Freunde zurückdenken, an ihre Familien und Verwandten, sie werden über verlorene Gelegenheiten trauern und genau wissen, dass ihre Zukunft sowohl hoffnungslos als auch ewig festgelegt ist. Für sie wird der Tod viel schlimmer sein, als sie ihn sich je vorgestellt haben.

Und während also Ihre Verwandten und Freunde Ihr Begräbnis planen – einen Sarg und eine Grabstätte aussuchen und bestimmen, wer den Sarg tragen soll –, werden Sie lebendiger sein als je zuvor. Sie werden entweder Gott auf seinem Thron sehen, umgeben von Engeln und Erlösten, oder Sie werden ein unbeschreibliches Gewicht auf sich fühlen, das Gewicht Ihrer Schuld und Einsamkeit. Es gibt keinen Mittelweg zwischen den beiden Extremen; auf Sie warten entweder Freude oder Finsternis.

Auch wird es in der Ewigkeit nicht möglich sein, von einem Ort an den anderen zu gelangen. Ganz gleich, wie endlos die Zeit sein mag, wie herzzerreißend die Bitten sein mögen, wie schlimm das Leiden sein wird, Sie können sich nur innerhalb Ihres jetzigen Aufenthaltsortes bewegen. Diejenigen, die sich in den unteren, finsteren Regionen wiederfinden, werden niemals die Tore durchschreiten, die zu ewigem Licht und ewiger Freude führen. Sie werden erkennen, dass die schönen Worte, die man an einem Grab zu sagen pflegt, nichts mit der Realität zu tun haben, mit der Sie nun konfrontiert sind. Wenn Ihre Freunde Sie nur jetzt sehen könnten!

Mir hat jemand einmal erzählt, dass auf einem Friedhof im Staat Indiana in den Vereinigten Staaten ein alter Grabstein mit folgender Inschrift steht:

Wenn du hier vorbeikommst, Fremder, halt an!
Wie du jetzt bist, so war ich einst,
wie ich jetzt bin, so wirst du sein,
deshalb bereite dich vor auf den Tod und folge mir.

Ein Unbekannter hat diese Worte wohl gelesen und darunter diese Antwort eingeritzt:

Ich bin nicht bereit, dir zu folgen,
ehe ich nicht weiß, wohin die Reise geht.

Erst kürzlich habe ich zwei Beerdigungen geleitet. Bei der ersten wurde eine christliche Frau beerdigt, die in ihrem Leben Christus hingebungsvoll gedient hat. Die Haltung der Familie war bezeichnend, die Trauer war mit nicht zu unterdrückender Freude vermischt.

Die zweite Beerdigung war die eines offensichtlich Ungläubigen, der bei einem Autounfall ums Leben gekommen war. Die Trauer der Angehörigen war verzweifelt und hoffnungslos. Sie wollten sich nicht trösten lassen.

Wir sollten gemeinsam diesen Menschen ans Grab folgen. Wenn Jesus nicht gerade zu unseren Lebzeiten wiederkommen sollte, dann müssen wir alle durch das eiserne Tor treten, das Hamlet einmal als „das unentdeckte Land, von des Bezirk / kein Wandrer wiederkehrt“ (III.i. 79–80) bezeichnet hat.

Wenn wir über unsere Zukunft nachdenken, dann bekommen wir neue Perspektiven. Stellen Sie sich ein Maßband vor, das von der Erde bis zum fernsten Stern reicht. Unser Aufenthalt hier auf der Erde ist nur so breit wie ein Haar, also auf dem Maßband fast unsichtbar. Streng genommen kann keine Entfernung mit der Ewigkeit verglichen werden. Ganz gleich, wie unendlich wir uns die Ewigkeit vorstellen, unsere Vorstellung kann nie endlos genug sein.

Jeder von uns will klug investieren, das „Beste für sein Geld" bekommen, wie man so sagt. Die besten Investitionen sind sichere und beständige, und wenn wir weise sind, dann verbringen wir unsere Zeit damit, uns auf das vorzubereiten, was ewig hält. Was ist denn das Leben anderes als eine Vorbereitung auf die Ewigkeit?

Kürzlich hörte ich die tragische Geschichte von Leuten, die im obersten Stockwerk eines Hochhauses eine Party feierten und nicht wussten, dass in den unteren Etagen ein Feuer ausgebrochen war. Auf die gleiche Weise genießen viele ihr Leben und ignorieren in ihrer Bequemlichkeit die Tatsache, dass der Tod nicht nur unausweichlich ist, sondern auch näher, als sie denken. Obwohl es in unserem Leben viele Unwägbarkeiten gibt, können wir auf eines zählen: Worum immer wir uns in dieser Welt bemühen, es wird immer zeitgebunden bleiben. Denn diese Welt und alles, was wir angehäuft haben, wird eines Tages verbrannt werden.

Gestern erst habe ich die Reiseabteilung eines Buchladens durchstöbert. Leute, die Reisen planten, kauften Karten und Führer für Reisen nach Hawaii oder nach Ostasien. Einige kauften auch Bücher, die ihnen helfen sollten, ein paar Ausdrücke einer fremden Sprache zu lernen. Zweifellos hatten sie Geld gespart, ihren Reiseplan ausgearbeitet und ihre Flugtickets gekauft. Und all das für eine Reise von zwei bis drei Wochen.

Ich fragte mich, wie viele von diesen Leuten wenigstens so viel Aufmerksamkeit ihrem ewigen Ziel widmen würden. Ich fragte mich, wie viele einen Reiseführer lesen würden, eine Karte studieren oder versuchen würden, die Sprache des Himmels zu entziffern. Ostasien oder Hawaii scheinen uns so viel realer zu sein als das unsichtbare Totenreich. Und doch sind diese Menschen, während sie ihre Ferien planen, auf einem Weg in ein viel ferneres Land.

Der Zweck dieses Buches ist zu erklären, was die Bibel zum Leben nach dem Tod zu sagen hat. Viele, die es lesen, werden getröstet werden, andere jedoch aufgeschreckt, und jeder, so hoffe ich, wird nach der Lektüre etwas gelernt haben. Ich behaupte nicht, eine besondere Offenbarung von Gott bekommen zu haben; ich möchte einfach nur genau erklären, was die Bibel zu diesem Thema zu sagen hat.

Ich bete, dass Gott mir hilft, den Himmel so einladend zu beschreiben, dass diejenigen, die hineinkommen wollen, kaum noch Geduld haben zu warten. Ich bete auch, dass ich die Hölle in so schrecklichen Farben darstellen kann, dass diejenigen, die noch nicht bereit sind zu sterben, schnell auf den Einzigen vertrauen, der sie von dem „kommenden Gericht“ erretten kann.

Der Tod, unser Feind, kann unser Freund werden, wenn Gott uns eines Tages zu sich ruft. Wir können froh sein, dass Gott uns einen Lichtstrahl geschenkt hat, um die Finsternis zu erhellen. Der Tod ist kein hoffnungsloses Fallen ins Unbekannte. Was erwartet uns also *fünf Minuten nach dem Tod*?

DER VERSUCH, HINTER DEN VORHANG ZU BLICKEN

Spiritistische Medien – Reinkarnation – Erfahrungen an der Schwelle des Todes

Während der letzten Monate ihres Kampfes gegen den Krebs hat Jacquelin Helton ein Tagebuch geführt. Ihre Gedanken und Gefühle sollten eine Erbschaft für ihren Mann Tom und ihre achtzehn Monate alte Tochter Jennifer werden.

In ihrem Tagebuch fragt sie sich, wie der Tod wohl sein würde. Welche Kleider würde sie bei ihrem Begräbnis tragen? Sie dachte an ihre Tochter. Wer würde sie lieb haben? Sie zu Bett bringen? In ihren Schriften fordert Jennifer sie auf, dass sie sich an ihre Mutter erinnern solle, die sich um sie gekümmert hätte, wenn ihr etwas wehtäte.

Zum Schluss ruft sie aus: „Was ist mit dir los, Gott? Meine Familie ist keine Pfadfindergruppe, die alles selbst erledigen kann – du musst verrückt sein, dass du so etwas zulässt!"

Ablehnung, Angst, Wut, Depression und hilflose Resignation – all diese Gefühle kommen bei denen auf, die dem Tod gegenüberstehen. Es ist ganz gleich, dass der Tod für die Menschen etwas Normales sein sollte, denn schließlich muss jeder Mensch diesen Weg einmal selbst gehen. Niemand kann uns auf diesem Weg vertreten. Freunde und Familie können uns nur bis zum Vorhang begleiten, doch der Sterbende muss allein hindurchschreiten. Verständlicherweise war Jacquelin gespannt, als sie dem Vorhang immer näher kam. Sie dachte über das nach, was hinter dem geheimnisvollen Vorhang verborgen ist. Sie wünschte sich ein wenig Einsicht, einen kleinen Ausblick in die Zukunft, der ihr versichern sollte, dass sie sich nicht zu fürchten brauchte. Doch weder ihre Neugier noch ihr Lebenswille konnten sie davor bewahren, allein durch diesen Vorhang in die Finsternis schreiten zu müssen. Wird sie sich in vollem Bewusstsein in einer dunklen Höhle wiederfinden, wo sie sich nach Gemeinschaft sehnt und diese doch nicht finden kann?

Tom Howard sagt, dass wir, wenn wir dem Tod so begegnen wie das Kaninchen, das die Schlange anstarrt, nicht in der Lage sind, irgendetwas angesichts eines Geschehens zu tun, das eigentlich drastisches und entschiedenes Handeln erfordert. „Es gibt", schreibt er, „wirklich nichts, was wir tun könnten. Wir können sagen, was wir wollen, uns drehen und wenden, wir sind schon bald ein Haufen Fleisch und Knochen, der sich von dem Rest der Leichen um uns herum nicht mehr unterscheidet. Es wird offensichtlich nichts mehr ausmachen, ob wir dem Tod friedlich, mit Angst oder mit aufgesetzter Heiterkeit entgegengegangen sind – dies wird die Situation sein, in der wir uns befinden."[2]

Natürlich würden wir gern vorher wissen, was uns auf der anderen Seite erwartet. Als Menschen, die wir sind, warten wir natürlich auf einen Hinweis, einen Fingerzeig, den wir von denen erhoffen, die an der Schwelle stehen. Wir warten ängstlich auf ein gutes Wort, das uns bestätigt, dass alles gut wird. Als der Fernsehschauspieler Michael Landon („Bonanza") auf dem Sterbebett lag, gestand er seinen Freunden, dass er ein „helles weißes Licht“ sähe, das seine Furcht vertrieb und ihm half, sich auf das Jenseits zu freuen. Er starb ruhig in der Erwartung eines „wunderbaren Erlebnisses“, wie er sich ausdrückte.

Die Wiedergeburt, verschiedene Bewusstseinsstufen und freudige Wiedervereinigungen an einem Ort im Jenseits wie dem Himmel sind beliebte Kassenschlager. Larry Gordon, Leiter von Largo Entertainment, sagt: „Die Leute wollen etwas, damit sie sich wohlfühlen. Wir alle wollen glauben, dass der Tod doch nicht so schlimm sei.“[3] Dutzende Filme zeigen, wie wunderbar das Leben im Jenseits ist. Einer wurde angekündigt: „Im Jenseits können Sie wenigstens einmal lachen.“

Die Furcht vor dem Tod ist durch ein freudiges Gefühl ersetzt worden, das uns ein Jenseits vorspiegelt, wo alle freudig vereint werden. Es gibt angeblich kein Gericht, das Leben des Einzelnen wird nicht beurteilt. Natürlich hat der Tod etwas Geheimnisvolles, so wird uns gesagt, aber wir brauchen ihn nicht zu fürchten. Bei diesem positiven Bild vom Jenseits müssen wir uns nicht wundern, dass einige Menschen dieses Ziel schneller erreichen möchten.

Wie legitim aber sind solche Berichte von Blicken hinter den Vorhang? Viele Menschen sind überzeugt, dass die Unsterblichkeit der Seele heute durch übernatürliche Experimente bewiesen ist, die sich nur dadurch erklären lassen, dass die Seele den Tod des Leibes überlebt. Wir mögen derselben Meinung sein, aber wie verlässlich ist die Information, die von denen ins irdische Leben übermittelt wird, die berichten, was sie auf der anderen Seite gesehen und gehört haben?

Lassen Sie uns drei verschieden Arten von Beweisen beurteilen, die manchmal benutzt werden, um uns zu versichern, dass alles gut sein wird, wenn wir einmal selbst durch den geheimnisvollen Vorhang schreiten müssen.

SPIRITISTISCHE MEDIEN

Einige Menschen behaupten, sie hätten mit Toten gesprochen. In seinem Buch *The Other Side* [Dt. etwa *Die andere Seite*] beschreibt Bischof James A. Pike ausführlich, wie er mit seinem Sohn Kontakt aufgenommen hat, der Selbstmord begangen hatte. Er benutzte ein sogenanntes Medium und glaubt fest daran, dass er mehrere ausführliche Unterhaltungen mit seinem Sohn geführt hat.

„Ich habe nicht bestanden, ich kann dir nicht begegnen, ich kann nicht dem Leben gegenübertreten", sagte Pikes Sohn wiederholt. „Ich bin verwirrt. ... Ich bin nicht im Fegefeuer, sondern in so etwas wie der Hölle hier ... doch niemand schilt mich hier."[4] Jesus, so sagte der Junge, war ein Vorbild, aber kein Erlöser.

Eine Überraschung war die angebliche Erscheinung des Geistes eines Freundes, Paul Tillich, eines wohlbekannten deutsch-amerikanischen Theologen, der einige Monate vorher gestorben war. Pike war sehr erstaunt, als er den deutschen Akzent seines verstorbenen Freundes von den Lippen des Mediums hörte.

Wie sollte man diesen Beweis nun interpretieren? Als liberaler Theologe wusste Pike nicht, dass Dämonen die Toten oft spielen, um die Illusion hervorzurufen, dass lebendige Menschen mit den Toten reden können. Diese Geister haben ein erstaunliches Wissen über das Leben des Verstorbenen, weil sie einzelne Menschen während ihres Lebens sorgfältig beobachten. Durch die

Kraft der Verstellung können sie die Stimme des Verstorbenen nachahmen, ja, sogar seine Persönlichkeit und Erscheinung.

Manchmal wird die Geschichte von Samuel und Saul benutzt, um Kontakte mit Toten zu rechtfertigen. Bei diesem bemerkenswerten Ereignis wurde Samuel offensichtlich von den Toten zurückgebracht, jedoch nicht durch die Hexe von Endor. Gott selbst scheint dieses Wunder vollbracht zu haben, denn nur dadurch lässt sich die Angst des Mediums erklären (1Sam 28,3-25).

Wir dürfen nicht vergessen, dass die Stimme Samuels nicht durch die Lippen des Mediums sprach. Samuel und Saul haben durch dieses erstaunliche Wunder wirklich direkt miteinander gesprochen. Außerdem war der Allmächtige zornig, dass Saul verzweifelt versucht hatte, mit dem toten Propheten Kontakt aufzunehmen. Kein Wunder, dass Saul eine Gerichtsprophetie hörte, dass er und seine Söhne schon am nächsten Tag sterben sollten – eine Prophezeiung, die sich erfüllte. Der Versuch, mit Toten zu reden, wird von Gott wiederholt verurteilt (5Mo 18,11-22).

Deshalb können Sie ziemlich sicher sein, dass keiner jemals mit Ihrem toten Onkel, Vetter oder Ihrer toten Großmutter geredet hat. Es gibt jedoch Geister, die die Toten vertreten. Ihre Verführungskunst ist recht trickreich, denn sie können vielleicht sogar über die Liebe, über den Wert der Religion reden oder Jesus in einem guten Licht darstellen. Und natürlich wissen sie genug über den Toten, um die Unkritischen zu betrügen.

Diese Fähigkeit dämonischer Geister, die Persönlichkeit der Toten nachzuahmen, hilft uns, Spukhäuser zu verstehen. Als ich in einem Hotel in der Nähe von Calgary wohnte, stand in dem örtlichen Blättchen eine

Geschichte, in der behauptet wurde, dass es in dem wunderschönen Gebäude mindestens zwei Geister geben solle. Einer der Angestellten zeigte uns eine Marmortreppe, wo einer der Geister leben sollte (dies wurde durch das Zeugnis anderer Angestellter bestätigt). Eine frischgebackene Braut war vor Jahren auf dieser Treppe gestolpert und hatte sich dabei so den Kopf verletzt, dass sie daran starb. Man sagte uns, dass ihr Geist jetzt auf der Treppe lebte und mit einiger Regelmäßigkeit erscheine.

Wie erklären wir dieses Phänomen? Wenn ein Mensch stirbt, der besessen ist, dann müssen diese Geister einen neuen Wohnort suchen. Oft entschließen sie sich, an dem Ort zu bleiben, wo die Person gestorben ist (dies scheint insbesondere für gewaltsame Tode wie Mord oder Selbstmord zu gelten). Sie nehmen den Namen und die Eigenschaften des Verstorbenen an und erscheinen ab und zu in dieser Verkleidung. Solche Wesenheiten (wie sie heute oft genannt werden) sind böse Geister, die sich oftmals jedoch „freundlich" gebärden.

Wer versucht, mit Toten in Kontakt zu treten, wird immer in die Gemeinschaft finsterer Mächte geraten, die vorgeben, hilfreiche Engel des Lichts zu sein. Der Prophet Jesaja warnte die Menschen davor, dass jeder, der ein Medium konsultiert, Gott den Rücken kehrt. *„Und wenn sie zu euch sagen: Befragt die Totengeister und die Wahrsagegeister, die da flüstern und murmeln!, so antwortet: Soll nicht ein Volk seinen Gott befragen? Soll es etwa für die Lebenden die Toten befragen? Hin zur Weisung und zur Offenbarung! Wenn sie nicht nach diesem Wort sprechen, dann gibt es für sie keine Morgenröte"* (Jes 8,19-20).

Der springende Punkt ist natürlich, dass alle Informationen über das Leben nach dem Tod, die wir von Spiritisten oder Medien erhalten, unzuverlässig sind.

Diejenigen, die sich an die okkulte Welt wenden, um von dort Informationen über den Tod zu erhalten, werden irregeleitet. Ja, es gibt ein Leben nach dem Tod, doch auf Aufklärung von Dämonen sollten wir verzichten, denn ihre größte Freude besteht darin, Menschen zu verwirren und zu betrügen. Kein Wunder, dass die Theologie, die Pikes Sohn zum Besten gab, so verdreht war.

Wir dürfen nicht versuchen, einen Blick hinter den Vorhang zu erhaschen, indem wir versuchen, mit dieser anderen Seite Kontakt aufzunehmen. Sobald sich der Vorhang geöffnet hat, um einen unserer Mitreisenden einzulassen, schließt er sich wieder, und wir dürfen nicht versuchen, dahinter zu sehen.

REINKARNATION

Eine andere Form des Okkultismus, die angeblich Informationen über das Leben nach dem Tod gibt, ist die Lehre von der Reinkarnation (nicht zu verwechseln mit der christlichen Lehre von der Wiedergeburt). Hier wird gelehrt, dass wir immer wiederkehren und dass der Tod nichts anderes als der Übergang zwischen einem Leib und dem nächsten ist. Deshalb behauptet Shirley MacLaine, dass wir die Todesfurcht verlieren, wenn wir einfach nur annehmen, dass er gar nicht existiert. Durch Kontakte mit der Geisterwelt will sie entdeckt haben, dass sie in früheren Existenzen eine Prinzessin in Atlantis war, eine Inka-Frau in Peru und sogar ein Kind, das von Elefanten aufgezogen wurde. In einigen vorherigen Leben war sie männlich, in anderen weiblich.

Eine Frau, die ich in einem Flugzeug traf, erzählte mir, dass sie als Kind ein detailliertes Wissen über ein

Haus in Vermont hatte, das sie nie besucht hatte. Später, als Erwachsene, besuchte sie das Haus und alle Einzelheiten stimmten mit ihren Erinnerungen überein. Sie war deshalb überzeugt, dass sie während des achtzehnten Jahrhunderts dort gewohnt haben muss. Ich wies sie darauf hin, dass es keine Seelenwanderung gibt, wohl aber eine Dämonenwanderung. Sie erhielt ihr Wissen über eine Familie des 18. Jahrhunderts von bösen Geistern.

„Aber", warf sie ein, „ich habe überhaupt nichts mit bösen Geistern zu tun, ich habe nur Kontakt zu guten Geistern!"

„Wie erkennen Sie den Unterschied zwischen bösen und guten Geistern?" fragte ich sie.

„Ich habe nur Gemeinschaft mit Geistern, die mir als Lichtgestalt erscheinen."

Ich erinnerte sie an 2. Korinther 11,13-14: *„Denn solche sind falsche Apostel, betrügerische Arbeiter, die die Gestalt von Aposteln Christi annehmen. Und kein Wunder, denn der Satan selbst nimmt die Gestalt eines Engels des Lichts an."*

Ja, natürlich Lichtgestalten!

Ihre und ähnliche Erfahrungen beweisen nicht die Seelenwanderung oder Reinkarnation, sondern bestätigen nur, dass Menschen jedes Zeitalters sich unter dämonischem Einfluss befinden können. Es gibt Beweise dafür, dass sogar Kinder die dämonischen Züge ihrer Eltern oder Vorfahren erben. Das würde erklären, warum einige Kinder, die nur wenige Monate alt waren, nach zuverlässigen Aussagen Gotteslästerungen und Obszönitäten plapperten, die sie in ihrem kurzen Leben unmöglich gelernt haben konnten.

Okkultismus, gleich welcher Art, bietet keine zuverlässige Information über das Leben nach dem Tod. Er beweist nur die Existenz einer Geisterwelt, einer Welt des Betrugs und der finstersten Intelligenzen. Gott hält alle Formen des Okkultismus für Greuel (3Mo 19,31; 5Mo 18,9-12; Jes 8,19-20; 1Kor 10,14-22).

Weder Shirley MacLaine noch irgendein anderer Guru kann uns Zuverlässiges über die Ewigkeit sagen. Niemand kann beweisen, dass er oder sie die Erfahrung gemacht hat, wiedergeboren worden zu sein. Der Vorhang öffnet sich, wenn wir hindurchschreiten, doch wenn er einmal geschlossen ist, dann wird er sich nicht wieder öffnen, damit wir zurückkehren.

ERFAHRUNGEN AN DER SCHWELLE DES TODES

Einige Menschen behaupten, gestorben und in ihren Körper zurückgekehrt zu sein, um uns Informationen über das Leben nach dem Tod zu geben. Im Jahr 1976 hat Raymond Moody in seinem Buch *Life after Life*[5] [Dt. etwa *Leben nach dem Tod*] Interviews mit vielen Menschen aufgezeichnet, die dem Tod nahe waren, aber wiederbelebt werden konnten. Ihre Geschichten hatten zum Großteil wiederkehrende Elemente: Dass der Patient hört, wie er für tot erklärt wird, dass er sich außerhalb seines Körpers befindet und die Ärzte sieht, wie sie sich an seinem Körper zu schaffen machen. In diesem Zustand begegnen den Betroffenen Verwandte oder Freunde, die gestorben sind, und dann treffen sie auf ein „Lichtwesen". Wenn der Patient erfährt, dass er zurückkehren muss, dann tut es ihm leid, weil er eine überwältigende Erfahrung von Liebe und Frieden gemacht hat.

Melvin Morse berichtet in ihrem Buch *Closer to the Light* [Dt. etwa *Zum Licht*] Geschichten von Kindern, die solche sogenannten Nahtoderfahrungen gemacht haben. Und wieder sind ihre Geschichten erstaunlich ähnlich und in fast allen Fällen sehr positiv. Typisch ist der Bericht eines 16 Jahre alten Jungen, der mit ernsthaften Nierenbeschwerden in ein Krankenhaus eingeliefert wurde. Während er im Vorbereitungsraum war, wurde er in seinem Stuhl ohnmächtig. Eine Krankenschwester suchte nach dem Puls, konnte aber keinen finden. Glücklicherweise wurde er jedoch bald wiederbelebt. Später berichtet er von einer übernatürlichen Erfahrung:

> *Ich erreichte einen gewissen Punkt im Tunnel, an dem um mich herum plötzlich immer mehr Lichter aufleuchteten. Dadurch war ich sicher, mich in einer Art Tunnel zu befinden, und meine Geschwindigkeit muss mehrere hundert Stundenkilometer betragen haben, nach der Art und Weise zu schließen, wie die Lichter an mir vorbeizischten.*
>
> *An diesem Punkt bemerkte ich auch, dass ich nicht allein war. Das Wesen war über zwei Meter groß und trug ein langes weißes Gewand, das mit einem einfachen Gürtel in der Taille festgehalten wurde. Sein Haar war golden, und obwohl er nichts sagte, hatte ich keine Angst, denn von ihm gingen Friede und Liebe aus.*
>
> *Nein, es war nicht Jesus, aber ich wusste, dass Jesus ihn geschickt hatte. Es war wahrscheinlich einer seiner Engel oder jemand anders, der gesandt wurde, um mich in den Himmel zu holen.*[6]

Erst kürzlich hat Betty Eadie in ihrem Buch *Embraced by the Life*[7] einen fantastischen Bericht von ihrem Besuch auf der „anderen Seite“ gegeben. Sie behauptet, dass sie Jesus Christus gesehen habe, und hat ihm sogar ihr Buch gewidmet: „Dem Licht, meinem Herrn und Heiland Jesus Christus, dem ich alles schulde, was ich habe. Er ist der Stab, auf den ich mich stütze, und ohne ihn würde ich straucheln." Doch wird deutlich, dass der Christus, von dem sie uns berichtet, nicht mit dem Jesus Christus des Neuen Testaments identisch ist.

Der Jesus, den Eadie beschreibt, ist ein wohlwollendes Lichtwesen, das sie so umgab, dass sie nicht mehr wusste, wo ihr Licht aufhörte und seines begann. Jesus, so sagt sie uns, ist vom Vater zu unterscheiden und würde nichts tun, das sie nicht wollte. Es gab keinerlei Grund, vergangene Taten zu bereinigen, denn wir Menschen seien keine sündhaften Geschöpfe. Stattdessen hätten menschliche „Geistwesen" dem himmlischen Vater bei der Schöpfung beigestanden. Zum Glück sei die Welt nicht voller Tragödien, wie wir annehmen, und in der Gegenwart Christi, so schließt Eadie, „wusste ich, dass ich es wert war, ihn zu umarmen."[8]

Was beweisen diese Erfahrungen? Offensichtlich bestätigen sie, dass sich beim Tod die Seele vom Körper trennt. Einige Patienten konnten nicht nur zurückblicken und sehen, wie die Ärzte sich mit ihrem Körper beschäftigten, sondern konnten auch beobachten, was in anderen Räumen des Krankenhauses vor sich ging. Das scheint uns unmöglich zu sein, es sei denn, die Seele hat den Körper wirklich schon verlassen und die Erde aus einer anderen Perspektive betrachten können.

Wir haben Grund zu glauben, dass Menschen Christus in der Zone zwischen Tod und Leben begegnen können. Bevor Stephanus gesteinigt wurde, gab Gott ihm einen Einblick in den Himmel. Stephanus sagte: *„Siehe, ich sehe die Himmel geöffnet und den Sohn des Menschen zur Rechten Gottes stehen!"* (Apg 7,56). Diese Erfahrung war einzigartig in der Hinsicht, dass sie geschah, ehe Stephanus starb, nicht erst bei seinem Tod. Er bekam hier die wunderbare Versicherung, dass der Himmel darauf wartete, ihn aufzunehmen!

Der Apostel Paulus hatte eine ähnliche Erfahrung, obwohl einige meinen, dass er wirklich tot war, als er in das Paradies kam, wo er *„unaussprechliche Worte hörte, die auszusprechen einem Menschen nicht zusteht“* (2Kor 12,4). Da er sagt, dass dies 14 Jahre vor der Niederschrift dieser Worte geschehen sei, haben wir wenigstens einige Hinweise darauf, dass es sich dabei um sein Erlebnis in Lystra handeln könnte, wo er gesteinigt und, als man annahm, er sei tot, aus der Stadt geschleppt wurde (Apg 14,19-20). Wenn er wirklich zu diesem Zeitpunkt gestorben war, aber wiederbelebt werden konnte, dann könnte sein Bericht zu den Todeserfahrungen gezählt werden oder vielleicht sogar eine „Auferstehungserfahrung“ sein.

Wenn Stephanus den Herrn sah, ehe er starb, und wenn Paulus starb und in das Paradies gelangte, dann ist es genauso möglich, dass andere Gläubige ähnliche Erlebnisse gehabt haben. Berichte, dass man Christus gesehen habe oder auch Verwandte, die schon lange tot sind, könnten durchaus der Wahrheit entsprechen. Wir können solche Erfahrungen zwar nicht erwarten, aber sie sind möglich.

Das Problem ist natürlich, dass wir nicht kritiklos annehmen können, was Menschen angeblich hinter dem Vorhang gesehen haben wollen. Die sogenannten Nahtoderfahrungen können den wirklichen Erlebnissen nach dem Tod entsprechen oder auch nicht. Sie müssen sorgfältig untersucht werden, ob sie dem biblischen Bild vom Leben nach dem Tod entsprechen. Auch ist es wesentlich, was Menschen vor ihrem Todeserlebnis geglaubt haben, um zu beurteilen, was sie gesehen und gehört haben.

Denken Sie daran – und das ist wichtig –, dass Satan sicherlich versucht, die positiven Erfahrungen, die Gott solchen Menschen wie Stephanus und Paulus geschenkt hat, nachzuahmen. Der große Betrüger möchte, dass die Menschen glauben, dass auf jeden Schönheit und Friede warten, unabhängig davon, welche Beziehung zu Jesus man während seines irdischen Lebens gehabt hat. Wenn es wahr ist, dass diejenigen, die von Christus gerecht gesprochen worden sind, Engel erwarten, dann ist es verständlich, dass diejenigen, die die Ewigkeit ohne die Vergebung Gottes und seine Annahme erreichen, dämonische Geister erwarten.

Wir wissen, dass mindestens einige der sogenannten Nahtoderfahrungen dämonischer Natur sind, weil sie der biblischen Lehre direkt widersprechen. Als erstes versichern uns Menschen wie Betty Eadie, dass der Jesus, dem sie begegnet sind, ihnen versicherte, dass alle Menschen das gleiche positive Willkommen nach dem Tod erwartet. Zweitens wird uns berichtet, dass es kein Gericht und keine sorgfältige Beurteilung des Lebens des Toten gegeben hätte. Mehrere Leute erwähnen ausdrücklich, dass das Lichtwesen jeden ohne Unterschied willkommen heißt.

Eine Frau berichtete, dass sie Christus begegnet sei, als sie die Linie zwischen Leben und Tod überschritten habe, und er sie auf einen Spaziergang mitgenommen habe. Er erklärte ihr, dass alle Religionen der Welt Pfade mit demselben Ziel seien. Es gebe einen buddhistischen Weg, einen hinduistischen Weg, einen islamischen Weg und natürlich einen christlichen Weg. Aber wie die Speichen eines Rades führten sie alle zur Nabe, nämlich zum Himmel. Mit anderen Worten: Alle werden gerettet. Das ist schon immer Satans angenehmste und meistgeglaubte Lüge gewesen.

Es gibt auch eine Erklärung dafür, dass immer wieder von Lichterlebnissen berichtet wird. Weil Gott Licht ist, versucht Satan natürlich ebenfalls, ein solches Licht nachzuahmen. Wir können nicht oft genug darauf hinweisen, dass er sich als *„Engel des Lichts“* verkleidet (2Kor 11,14). Natürlich nehmen viele gutgläubige Menschen einfach an, dass dieses „Wesen“, das Licht ausstrahlt, auch freundlich ist. In unserem Zeitalter der Wohlfühl-Religion können sie sich nicht vorstellen, dass es sich um jemand anderen als Christus handeln könnte.

Obwohl immer wieder von positiven Nahtoderfahrungen berichtet wird, muss ich auch auf andere Forschungen hinweisen, die besagen, dass viele Menschen finstere und angsterfüllende Erfahrungen gemacht haben. In *The Edge of Death* [Dt. etwa *Der Tod – wirklich anders*] von Philip J. Swihart[9] und *Beyond Death's Door* [Dt. etwa *Jenseits der Todeslinie*] von Maurice Rawlings[10] gibt es Berichte von Menschen, die ein erschreckendes Bild vom Leben nach dem Tod zeichnen. Einige haben einen Feuersee gesehen, und auch Menschen, die gequält wurden – und alle diese erwarteten das Gericht. Diese Berichte, so behaupten die Autoren, seien wesentlich genauer, weil die betreffenden Personen sehr bald nach den Todeserlebnissen und der Wiederbelebung befragt wurden. Diese finsteren Erlebnisse, so sagen die Autoren, verschwinden oft schon kurze Zeit nach dem Erlebnis wieder aus dem Gedächtnis.

Wir können nicht überbetonen, wie schlimm der Betrug durch die „Religion der Wiederbelebten“ ist, die nur von der utopischen Vorstellung berichtet, dass der Tod zu einer Art höherem Bewusstsein für alle Menschen führe, unabhängig von ihrer Religion oder ihrem Glauben. Wir müssen uns daran erinnern, dass uns alle sogenannten Nahtoderfahrungen von solchen Menschen berichtet wurden, die zwar klinisch tot gewesen sind, aber noch nicht den biologischen oder unumkehrbaren Tod gestorben sind. Es gibt bisher außer Jesus Christus niemanden, der wirklich auferstanden ist. Ob die Erfahrung positiv oder negativ ist, sie muss immer anhand verlässlicher Autoritäten überprüft werden.

Ich persönlich mache mir weit mehr Gedanken um um das, was ich *nach dem wirklichen Tod* erleben werde, als das, was mir *an der Schwelle des Todes* widerfahren wird. Es geht mir nicht so sehr um den Übergang als um das Ziel, das letztendlich zählt. Um deshalb zu entdecken, was wirklich auf der anderen Seite liegt, müssen wir eine verlässlichere Landkarte finden, eine vertrauenswürdigere Autorität als Menschen, die nur *an der Schwelle* des Lebens nach dem Tod gestanden haben und uns nun von ihren Erfahrungen berichten.

Es ist sicherlich besser, wenn wir jemandem vertrauen, der wirklich tot war, statt jemanden, der nur an der Schwelle des Todes gestanden hat. Christus ist, wie wir sehen werden, der Einzige, der uns wirklich zuverlässig berichten kann, was wir auf der anderen Seite erwarten können. Er war tot, so tot, dass sein Körper kalt geworden ist und in ein Grab gelegt wurde. Drei Tage später wurde er mit einem verherrlichten Leib von den Toten auferweckt. Hier haben wir jemanden, dessen Meinung wir vertrauen können. Zu Johannes sagte der auferstandene Christus: *„Fürchte dich nicht! Ich bin der Erste und der Letzte und der Lebendige, und ich war tot, und siehe, ich bin lebendig von Ewigkeit zu Ewigkeit und habe die Schlüssel des Todes und des Hades"* (Offenbarung 1,17-18).

Verlässliche Informationen erhalten wir nicht, wenn wir versuchen, hinter den Vorhang zu blicken. Nur Gott allein weiß wirklich, was auf der anderen Seite des Vor-Vorhangs liegt. Deshalb können wir nichts Besseres tun, als uns anzusehen, was die Bibel über das Leben nach dem Tod zu berichten hat.

Wir fangen mit dem Alten Testament an, wo wir die ersten Einblicke in den Bereich des Todes erhalten. Das wird uns auf die klareren Offenbarungen des Neuen Testamentes vorbereiten. Obwohl wir kein Recht haben, selbst hinter den Vorhang zu blicken und zu berichten, was wir dort gesehen haben, können wir doch dankbar alles annehmen, was Gott uns in seinem Wort gezeigt hat.

Was ich in den folgenden Kapiteln darstellen will, ist Gottes Offenbarung, nicht unsere persönliche Erfahrung. Gott hat den Vorhang ein wenig geöffnet, sodass wir einen Blick dahinter werfen können.

Lassen Sie uns gemeinsam herausfinden, was dort ist.

DER ABSTIEG IN DIE FINSTERNIS

Scheol im Alten Testament – Hades im Neuen Testament – Das Fegefeuer der mittelalterlichen Theologie

Eines Tages erhielt ich einen Anruf von einer trauernden Familie, die einen Pfarrer suchte, der ihnen ein schnelles Begräbnis zu bieten hätte. Ich sage hier „schnell", weil sie mich baten, die Predigt auf wenige Minuten zu beschränken. „Wir wollen nichts Frommes", sagte mir der Sohn, „und es kann gar nicht kurz genug sein."

Ich fragte ihn daraufhin, warum es so wichtig sei, dass die Beerdigung schnell vorbei wäre. Er sagte mir, dass seine Familie nicht besonders fromm sei; der Vater, plötzlich gestorben, sei nie zur Kirche gegangen. Sie würden nicht an Gott glauben, und nur weil ein Verwandter der Ansicht sei, dass ein Pfarrer dabei sein müsse, würde man überhaupt einen Pfarrer zum Begräbnis bitten.

Ich schloss einen Handel mit ihm. Ja, ich würde mich kurz fassen, doch ich würde den Trauergästen beim Begräbnis sagen, was ich über den Tod im Allgemeinen und Jesus im Besonderen denken würde. Zögernd sagte er zu.

Wenn es ein einzelnes Wort gibt, um diese Beerdigung zu beschreiben, dann ist es das Wort *Hoffnungslosigkeit*. Hier war ein Mann, der offensichtlich in der Schifffahrtsindustrie Millionen verdient hatte, und doch wurde er nach einem langen Trauergottesdienst mit einer sehr kurzen Predigt an diesem Tag verbrannt.

Was hat dieser Mann in den Minuten erlebt, nachdem er gestorben war? Natürlich kann niemand über diesen Menschen richten. Nur Gott weiß, ob er vielleicht noch kurz vor seinem Tod zu Jesus umgekehrt ist oder nicht. Doch um die Geschichte weiterzuspinnen nehmen wir einmal an, dass er als Ungläubiger gestorben ist, so wie sein Sohn es behauptet hat. Wenn das der Fall war – was erlebte dieser Mann in dem Augenblick, als wir uns in der Sterbehalle versammelten, um seiner zu gedenken? Was hätten wir gesehen, wenn wir mehr als nur den Sarg hätten sehen können?

Um eine vollständige Antwort auf diese Frage geben zu können, müssen wir einen kurzen Abstecher zu den Stellen des Alten Testaments machen, die vom Leben nach dem Tod handeln, und dann müssen wir uns in einem weiteren Schritt mit dem Neuen Testament beschäftigen. Wenn wir das geschafft haben, bekommen wir ein recht gutes Verständnis davon, was dieser Mann im Totenreich erlebt hat, auch in dem Augenblick, als seine Familie verzweifelt nach einem Pfarrer suchte, der der Feier den gewünschten religiösen Anstrich gab. Was wir entdecken werden, ist sowohl geheimnisvoll als auch furchteinflößend.

Es ist wichtig festzuhalten, dass der Tod eine Folge des Ungehorsams von Adam und Eva im Garten Eden ist. Gott hatte die beiden gewarnt, dass sie sterben, wenn sie die verbotene Frucht essen. Sie starben. Sie starben geistlich, indem sie von Gott getrennt wurden und versuchten, sich vor ihm zu verstecken. Doch sie fingen auch an, körperlich zu sterben, denn ihre Körper begannen die Reise zum Grab. Und wenn Adam und Eva nicht von Gott erlöst worden wären, dann wären sie auch auf *ewig* gestorben, was die dritte Form des Todes ist. Von dem ursprünglichen Ungehorsam im Garten Eden aus nahm der Tod in all seinen Formen seinen Zug durch die Welt auf.

Das Alte Testament fährt fort, uns Gottes Offenbarung von einem Leben nach dem Tod zu geben. Natürlich verstanden die Autoren nicht so viel davon, wie wir heute im Licht des Neuen Testamentes sehen können, doch sie wussten eindeutig, dass die Seele das Leben auf der Erde überdauert. Zu dieser Zeit war ein Glaube an ein Leben nach dem Tod so universal in allen Kulturen verbreitet, dass die Verfasser der Bibel einfach davon als Tatsache ausgingen. Sie haben nur noch etwas ausführlicher das beschrieben, was Gott schon durch seine natürliche Offenbarung bekannt gemacht hatte.

Lassen Sie uns einmal die Daten analysieren.

SCHEOL IM ALTEN TESTAMENT

Das wichtigste Wort im Alten Testament, das von einem Leben nach dem Tod spricht, ist das hebräische Wort *scheol*, das im Alten Testament 65-mal benutzt wird. Einige deutsche Bibelübersetzungen geben das Wort sehr uneinheitlich wieder (z. B. Luther 84 mit „Tod/Totenreich/ bei den Toten/Hölle/Tiefe/Tiefe des Todes/ Unterwelt/ unter der Erde/Rachen des Todes"). Jedenfalls ist damit nicht die Hölle gemeint, dazu werde ich später noch einiges sagen. Auch ist damit nicht einfach die Tatsache des Todes gemeint. Immer hat der Verfasser bei diesem Ausdruck einen Aufenthaltsort für die Toten im Sinn, wo die Toten auch bei Bewusstsein sind.

Die *Elberfelder Bibel* macht um der Klarheit willen meist nicht den Versuch, das Wort zu übersetzen, sondern lässt den hebräischen Ausdruck einfach so stehen, wie er ist. Deshalb hier nun einige Fakten, die wir kennen sollten, um zu verstehen, was im Alten Testament mit dem Wort *scheol* gemeint ist.[11]

Erstens gibt es eine deutliche Unterscheidung zwischen dem Grab, in dem sich der Leib befindet, und dem Scheol, in dem sich die Geister der Toten sammeln. Obwohl Gräber normalerweise nur flache Gruben in der Erde, manchmal sogar über der Erde gelegen sind, ist bei dem Wort Scheol immer an einen Ort tief unter der Erde gedacht, irgendwo in einem Hohlraum. Jesaja schreibt, als ein König abgesetzt wird: *„Der Scheol drunten ist in Bewegung deinetwegen, in Erwartung deiner Ankunft. Er stört deinetwegen die Schatten auf, alle Mächtigen der Erde, er lässt von ihren Thronen alle Könige der Nationen aufstehen"* (Jes 14,9; vgl. auch V. 10). Scheol ist nicht unpersönlich, sondern ein Ort der Aktivität.

Zweitens wird der Scheol oft als schattenhafter finsterer Ort beschrieben, als ein Ort, der nicht zu unserer irdischen Existenz gehört. Ein anderer Prophet, nämlich Hesekiel, zitiert Gott, wie er zu Tyrus sagt: *„Dann lasse ich dich hinabfahren mit denen, die in die Grube hinabfahren zum Volk der Urzeit, und lasse dich in den Tiefen unter der Erde wohnen, in den Trümmerstätten von der Vorzeit her, mit denen, die in die Grube [Scheol] hinabgefahren sind, damit du nicht mehr bewohnt wirst, und erstehst im Land der Lebenden"* (Hes 26,20).

Hiob beschreibt, dass die Einwohner des Scheol leiden. *„Vor Gott beben die Schatten unter dem Wasser und* *seinen Bewohnern. Nackt liegt der Scheol vor ihm, und keine Hülle hat der Abgrund“* (Hiob 26,5-6).

Drittens kann man nach dem Tod seine Verwandten im Scheol treffen: Jakob kam in den Scheol und wurde *„zu seinen Völkern versammelt“* (1Mo 49,33). Abraham wurde vom Herrn zugesagt, dass er in Frieden zu seinen Vätern eingehen würde (1Mo 15,15). Einige Ausleger sehen das einfach als Hinweis auf die Tatsache, dass die Gebeine einer bestimmten Familie oft in der gleichen Grabstätte begraben wurden. Doch wird hier zugleich deutlich ausgesagt, dass es sich um ein Wiedersehen in einer Welt nach dem Tod handelt.

Dass das Wort *scheol* sich auf den Bereich der Geister der Verstorbenen bezieht, scheint unmissverständlich zu sein. Genauso klar ist offensichtlich, dass diejenigen, die diesen Bereich betreten, nicht alle die gleichen Erfahrungen machen. Für einige ist es ein finsterer, trauriger Ort, für andere ein Ort der Gemeinschaft mit Gott.

Asaf, der Verfasser vieler Psalmen, schrieb: *„Doch ich bin stets bei dir. Du hast meine rechte Hand gefasst. Nach deinem Rat leitest du mich, und nachher nimmst du mich in Herrlichkeit auf. Wen habe ich im Himmel? Und außer dir habe ich an nichts Gefallen auf der Erde“* (Psalm 73,23-25). Er erwartete, nach dem Tod die Herrlichkeit Gottes zu sehen, und er beschreibt hier den Himmel.

Viertens gibt es im Alten Testament Hinweise, dass es im Scheol verschiedene Bereiche gibt. Wir lesen, dass sowohl die Gerechten als auch die Bösen in den Scheol kommen. Jakob kam in den Scheol, aber auch Aufrührer wie Korach und Dathan. Das erklärt, warum es die „Tiefen“ des Scheol gibt. Der Herr sagt: *„Denn ein Feuer ist entbrannt in meinem Zorn, es brennt bis in den untersten Scheol und frisst die Erde und ihren Ertrag und entzündet die Grundfesten der Berge“* (5Mo 32,22).

Warum es im Scheol zwei Bereiche gibt, kann man am besten erklären, indem man sich vor Augen hält, dass der Scheol ganz unterschiedliche Bewohner hat. *„Dies ist der Weg derer, die unerschütterlich sind, und das Ende derer, die Gefallen finden an ihren Worten: Wie Schafe weidet sie der Tod, sie sinken zum Scheol hinab; und am Morgen herrschen die Aufrichtigen über sie; ihre Gestalt zerfällt, der Scheol ist ihre Wohnung. Gott aber wird mein Leben erlösen von der Gewalt des Scheols, denn er wird mich aufnehmen"* (Psalm 49,14-16). An anderen Stellen des Alten Testaments finden wir einen ähnlichen Kontrast (Hi 24,19; Ps 9,18; 16,10; 31,18; 55,16).

Die vielleicht deutlichste Beschreibung der Unsterblichkeit im Alten Testament finden wir im Buch Daniel: *„Und viele von denen, die im Land des Staubes schlafen, werden aufwachen: die einen zu ewigem Leben und die anderen zur Schande, zu ewigem Abscheu"* (Dan 12,2). Daniel glaubte nicht nur, dass es zwei Arten von Menschen geben würde, von denen die einen in Freude, die anderen in Schande leben würden, sondern auch, dass ihre Körper eines Tages auferstehen würden. Das ist ein ausdrücklicher Hinweis auf die neutestamentliche Lehre der körperlichen Auferstehung.

Das Alte Testament unterscheidet deutlich zwischen den Bösen und den Gerechten, wobei deutlich ausgesagt wird, dass beide nach dem Tod ein unterschiedliches Schicksal erwartet. Obwohl diese Teilung des Scheols nicht ausdrücklich erwähnt ist, lehrten spätere Rabbis eindeutig, dass der Scheol zwei Abteilungen hat.

Scheol ist also ein allgemeiner Ausdruck für die Schattenwelt, für das Reich der Geister der Entschlafenen. Wie der Gelehrte B. B. Warfield schrieb: „Von Anfang der uns überlieferten Geschichte Israels glaubte dieses Volk unerschütterlich an das Weiterleben der Seele nach dem

Tod ... Der Leichnam wird ins Grab gelegt, und die Seele geht in den Scheol ein.“ Hier werden die Gerechten und die Ungerechten sein, aber wenn sie ankommen, werden sie nicht die gleichen Erfahrungen machen.

Wenn die Tür zum Leben nach dem Tod im Alten Testament nur einen Spalt weit geöffnet ist, so wird sie im Neuen Testament weit geöffnet. Wir finden dort ausführliche Beschreibungen des Lebens nach dem Tod, und zwar des Lebens von Gerechten und Ungläubigen. Von dieser Information aus sind wir besser in der Lage, die Frage zu beantworten, was wir fünf Minuten nach unserem Tod zu erwarten haben.

HADES IM NEUEN TESTAMENT

Wir haben erfahren, dass das hebräische Wort *scheol* im Alten Testament für das Totenreich verwendet wird. Das Neue Testament dagegen wurde in griechischer Sprache geschrieben, und hier wird das Wort *scheol* mit dem griechischen Ausdruck *hades* wiedergegeben. Als das gesamte Alte Testament einige Jahrhunderte vor Christus ins Griechische übersetzt wurde, wurde das Wort *scheol* immer mit *hades* wiedergegeben. Ebenso, wenn das Neue Testament alttestamentliche Texte zitiert, wird *scheol* ebenfalls immer mit *hades* übersetzt. Beide Worte bedeuten also genau dasselbe.

Das Neue Testament zieht den Vorhang so weit zurück, dass wir deutlicher in den Hades (oder Scheol) hineinblicken können. Wie zu erwarten wird das Wort *hades* wie das Wort *scheol* niemals für das Grab benutzt, sondern bezieht sich immer auf das Totenreich. Hier wird uns teilweise sogar deutlich berichtet, wie es im Hades aussieht, sowohl für die Gläubigen, als auch für diejenigen, die als Ungläubige sterben. Zumindest ein Teil des Geheimnisses wird gelüftet, weil Gott uns hier einige Blicke hinter den Vorhang gestattet.

Jesus war ebenso wie die Rabbiner seiner Zeit der Meinung, dass der Hades zwei Abteilungen hat. Als er den gierigen Pharisäern deutlich machen will, wie sich eines Tages das Schicksal der Reichen in der zukünftigen Welt ändern wird, erzählt er eine Geschichte, die uns mit hinter den Vorhang nimmt, der die Toten von den Lebenden trennt.

Erinnern wir uns an den Zusammenhang: Ein reicher Mann, der sich in Purpur und feinstes Leinen kleiden konnte und jeden Tag in Herrlichkeit lebte, starb, und seine Seele kam in den Hades. Ein Bettler namens Lazarus, der vor der Tür des reichen Mannes lag, starb ebenso und wurde in Abrahams Schoß getragen (die paradiesische Abteilung des Hades). Nun beginnt die Beschreibung des Lebens nach dem Tod:

> *Und als er im Hades [gr. Übersetzung des alttestamentlichen scheol] seine Augen aufschlug und in Qualen war, sieht er Abraham von Weitem und Lazarus in seinem Schoß. Und er rief und sprach: Vater Abraham, erbarme dich meiner und sende Lazarus, dass er die Spitze seines Fingers ins Wasser taucht und meine Zunge kühlt! Denn ich leide Pein in dieser Flamme. Abraham aber sprach: Kind, denk daran, dass du dein Gutes völlig empfangen hast in deinem Leben und Lazarus ebenso das Böse; jetzt aber wird er hier getröstet, du aber leidest Pein. Und zu diesem allen ist zwischen uns und euch eine große Kluft festgelegt, damit die, welche von hier zu euch hinübergehen wollen, es nicht können, noch die, welche von dort zu uns herüberkommen wollen" (Lk 16,23-26).*

Es wäre ein grober Fehler zu meinen, dass der gequälte Mann im Hades endete, nur weil er reich war. An anderen Stellen des Neuen Testaments wird eindeutig gelehrt, dass weder Reichtum noch Armut bestimmen, wo wir unser Leben nach dem Tod verbringen. Erinnern Sie sich daran, dass Jesus diese Geschichte erzählte, weil er den habgierigen Pharisäern klarmachen wollte, dass ihr Reichtum sie nicht retten kann, und dass Arme eventuell im Leben nach dem Tod besser dastehen könnten als sie. (Was nun genau bestimmt, wo wir unsere Ewigkeit zubringen, werden wir später in diesem Buch besprechen.)

Jesus hat beschrieben, welch unterschiedliche Bedingungen Gläubige und Ungläubige erwarten. Lassen Sie uns für unsere Zwecke nur einmal das Schicksal des Reichen betrachten und versuchen, seine Not zu verstehen, während seine Familie sich noch auf Erden vergnügen konnte. Obwohl wir ziemlich sicher sein können, dass seine Familie nichts davon wusste, hatte er schwer zu leiden.

Ich erinnere mich an den Schiffsmagnaten, bei dessen Beerdigung ich in Chicago zu predigen hatten. Sowohl er als auch der Reiche aus dem Gleichnis und viele Millionen in einer ähnlichen Lage erkannten zu spät, dass ihr weltlicher Einfluss sie nicht erretten konnte und dass weder ihr Reichtum noch ihr guter Ruf sie aus diesen Fesseln erlösen würde. Statt Sieger waren sie nun Opfer, und statt sich ihrer Freiheit zu rühmen, mussten sie nun ihre Sklaven sein.

Als Erstes wollen wir festhalten, dass der Mann im Hades sofort nach seinem Tod bei vollem Bewusstsein war. Er konnte sich erinnern, sprechen, Schmerzen fühlen und Glück erleben – all das war Teil seiner Erfahrung. Der reiche Mann sagte: *„Vater Abraham, erbarme dich* *meiner und sende Lazarus, dass er die Spitze seines Fingers ins Wasser taucht und meine Zunge kühlt! Denn ich leide Pein in dieser Flamme"* (V. 24). Im Hades wird ein Trinker nach einem Tropfen Alkohol verlangen, ihn jedoch nie erhalten. Die Drogensüchtigen werden sich nach einem Schuss Heroin sehnen, ihn aber nicht bekommen. Die Lüsternen werden vor sexuellem Verlangen brennen, aber niemals befriedigt werden.

Die ewig brennenden Gelüste nehmen kein Ende, und das gequälte Bewusstsein schmerzt, wird aber nie befriedigt. Es wird immer mehr Verlangen geben, ohne dass dieses gestillt wird. In den Sprüchen lesen wir vom unstillbaren Verlangen sowohl der Totenwelt als auch der menschlichen Natur: *„Scheol und Abgrund werden nicht satt, und die Augen des Menschen werden nicht satt"* (Spr 27,20).

Als wir also aufmerksam den Trauerreden im Trauerhaus in Chicago lauschten, erlitt derjenige, dessen wir gedachten, große Schmerzen. Seine einfachsten Bedürfnisse wurden nicht befriedigt. Er hatte brennendes Verlangen, das nicht gestillt werden konnte.

Zweitens war das ewige Schicksal dieses Mannes unveränderlich festgelegt. „Und zu diesem allen ist zwischen uns und euch eine große Kluft festgelegt, damit die, welche von hier zu euch hinübergehen wollen, es nicht können, noch die, welche von dort zu uns herüberkommen wollen" (Lk 16,26). Während die Verwandten auf der Erde das Trauerhaus verlassen, einen Leichenschmaus halten oder auch eine Ferienreise planen können, ist ihr Freund im Hades eingeschränkt und kann aus seiner Umgebung nicht ausbrechen.

Wie M. R. DeHaan gesagt hat: „Wenn wir einmal durch die Tür des Todes getreten sind, können wir unseren Koffer nicht mehr nehmen und einfach weiterreisen, wenn uns unsere Unterkunft nicht gefällt." Im Hades ist alles eintönig, wir finden dort die Isolation der Langeweile und der Trivialität. Es gibt keine Herausforderungen, keine Ziele und kein Vergnügen.

Während ich meine Kurzpredigt hielt, war der Mann, der in diesem schönen Sarg lag, sich völlig bewusst, dass er gefangen war, dass er seine Zukunft nicht länger in seiner Hand hatte. Er hatte die überwältigende Entdeckung gemacht, dass sein Schicksal unveränderlich feststand. Und wie wir sehen werden, wird seine Strafe in Zukunft noch schlimmer werden statt besser.

Drittens kannte dieser Mann sich selbst genug, um zu wissen, dass das, was er erlebte, nur fair und gerecht war. Im Hades war er sich seines gesamten Lebens bewusst, und sein Übergang ins Totenreich erhöhte sein Bewusstsein nur, statt dass die Erinnerung verblasst wäre. Er bat Abraham, Lazarus ins Haus seines Vaters zu schicken, *„denn ich habe fünf Brüder, dass er ihnen eindringlich Zeugnis ablegt, damit sie nicht auch an diesen Ort der Qual kommen!"* (V. 28).

Wir können aus zwei Gründen annehmen, dass dieser Mann glaubte, dass ihm Recht geschah: Erstens beklagte er sich nicht darüber, dass ihm hier Unrecht geschehen sei. Er beklagte sich zwar über seine Schmerzen, aber nicht darüber, dass er ungerecht behandelt würde. Zweitens, und das ist noch wichtiger, wusste er genau, was seine Brüder tun müssten, um seinem Schicksal zu entgehen! Wenn sie *Buße tun* würden, dann würde ihnen sein Zustand erspart.

Es ist unglaublich, wie sehr sich dieser Mann auf einmal für die Mission interessierte. Er bat Abraham, seine fünf Brüder zu warnen, damit sie nicht an den gleichen schrecklichen Ort kommen müssten. Und als Abraham dies mit der Begründung abschlug, dass sie ja Mose und die Propheten hätten, antwortete dieser Mann: *„Nein, Vater Abraham, sondern wenn jemand von den Toten zu ihnen geht, so werden sie Buße tun“* (V. 30).

Unvergebene Sünde, das wusste der Reiche, würde sie konsequenterweise an diese Stätte der Qual bringen. Und wenn seinen Brüdern dieses Schicksal erspart werden sollte, dann müssten sie etwas gegen diese Strafe tun, während sie noch auf Erden lebten. Mit größerer Einsicht und besserem Verständnis als auf der Erde sah er ein, dass seine Beziehung zum Allmächtigen die höchste Priorität hätte haben sollen.

Wir mögen denken, dass es diesem Mann lieber gewesen wäre, wenn seine Brüder auch in den Hades gekommen wären, damit er Gesellschaft hätte. Aber er war bereit, sie nie wieder zu sehen, wenn er nur wüsste, dass sie sich dann auf der anderen Seite der Kluft befänden, wo Lazarus und Abraham sich gerade zum ersten Mal begegneten. Offensichtlich gibt es im Hades Mitleid, ein natürliches menschliches Anteilnehmen am Schicksal derer, die man liebt.

Abrahams Antwort ist sehr aufschlussreich: *„Wenn sie Mose und die Propheten nicht hören, so werden sie auch nicht überzeugt werden, wenn jemand aus den Toten aufersteht“* (V. 31).

Wie wahr! Als Jesus diese Geschichte erzählte, war er noch nicht gestorben und auferstanden. Und doch lehrte er, dass seine Auferstehung das einzige Zeichen sein würde, das er der Welt geben würde. Doch auch heute glauben viele Männer und Frauen nicht daran, auch wenn die Beweise für Jesu Auferstehung wirklich überzeugend sind. Man kann niemanden von etwas überzeugen, das er nicht glauben *will*.

Ich denke an den Reichen zurück, den ich in Chicago beerdigt habe. Auch er erinnerte sich sicher gut und musste an die Familie denken, die er zurückgelassen hatte. Während ich nach einem Parkplatz in der Nähe des Trauerhauses suchte und den Gottesdienst mit der weinenden Witwe und dem selbstbewussten Sohn besprach, dachte der Mann, dessen Tod uns zusammengebracht hatte, voller Liebe an seine Kinder. Er dachte daran zurück, wie er seine Frau behandelt hatte, und er erinnerte sich an die Menschen, mit denen er Geschäfte abgeschlossen hatte.

Die schönen Worte bei der Trauerfeier hätten ihn beschämt, wenn er sie hätte hören können. Die seichten Ansichten der Menschen verspotteten ihn. Auch er hoffte sicherlich inständigst, dass seine Familie umkehren würde, damit sie nicht dasselbe erleben müsste wie er. Wenn nur er statt seines Sohnes mir hätte mitteilen können, was ich bei diesem Begräbnis sagen sollte!

Viertens lassen Sie uns nicht vergessen, dass der Reiche in Lukas 16 noch nicht in der Hölle war, sondern im Hades. Weil die Lutherbibel leider sowohl Scheol als auch Hades oft mit Hölle übersetzt hat, werden diese beiden Bereiche oft verwechselt. Die Bibel sagt eindeutig aus, dass bis jetzt noch niemand in der Hölle ist. Eines Tages wird der Hades in die Hölle geworfen werden, aber das ist noch nicht geschehen (Offb 20,14).

Petrus spricht vom Gericht über die ungehorsamen Engel und fügt dann hinzu: *„Es weiß der Herr die Frommen aus der Versuchung zu retten, die Ungerechten aber auf den Tag des Gerichts als bestraft Werdende aufzubewahren"* (2Petr 2,9, Interlinear-Übersetzung). Die Zeitform des Verbs zeigt uns hier, dass die Bestrafung ständig weitergeht, auch wenn das endgültige Gericht noch in der Zukunft liegt.

Aber was ist mit dem Gläubigen, mit Lazarus? Er war in dem Teil des Scheols oder Hades, den man auch

„Abrahams Schoß“ nennt. Doch nach der Himmelfahrt Jesu heißt es, dass die Gläubigen direkt in den Himmel kommen. Daraus kann man schlussfolgern, dass die beiden Regionen des Hades nicht mehr nebeneinander existieren, sondern dass heute „Abrahams Schoß“ im Himmel liegt. Der Hades, soweit wir davon wissen, hätte dann nur noch *eine* Abteilung, und dort kommen die Ungläubigen hin.

Der Hades ist also noch immer ein Aufenthaltsort für die Geister der Verstorbenen, ein zeitweiliger Zwischenzustand, in dem diejenigen, die nicht die Vergebung Gottes gesucht haben, bis später warten müssen. Wenn ihre Namen aufgerufen werden, haben sie keine guten Nachrichten zu erwarten.

DAS FEGEFEUER DER MITTELALTERLICHEN THEOLOGIE

Der Hades ist nicht das Fegefeuer. Wir haben erfahren, dass diejenigen, die im Hades sind, keinerlei Möglichkeit haben, in den Himmel zu kommen. Doch im Gegensatz dazu wird vom Fegefeuer gelehrt, dass man es wieder verlassen kann. Wenn die Seele durch die Leiden des Fegefeuers geläutert ist, so wird behauptet, dann kommt sie zu Gott. Das *Fegefeuer* könnte man also als einen zeitweiligen Aufenthaltsort bezeichnen, wo diejenigen, die als Gläubige gestorben sind, durch Strafe von ihren Sünden gereinigt werden.

Die Lehre vom Fegefeuer findet sich nicht in der Bibel, sondern wurde im Mittelalter akzeptiert, weil die Lehre von der Erlösung durch Einflüsse griechischer Philosophien und anderes Fremdgut recht unbiblisch war. Man glaubte, dass niemand (oder fast niemand) gerecht genug sein könne, um sofort nach dem Tod in den Himmel zu kommen; deshalb brauchte man einen Ort, wo die Menschen von ihren Sünden gereinigt würden, damit sie vollkommen würden, um dann in den Himmel zu kommen. Die Zeit im Fegefeuer, so lautete die Theorie, könnte einige Jahre oder Millionen Jahre dauern, je nachdem, wie gerecht man auf Erden schon war, doch irgendwann würde sie enden, und der Geläuterte würde dann in den Himmel kommen.

Zum Glück ist ein Fegefeuer aber unnötig. Wie wir in einem späteren Kapitel sehen werden, wird uns die Gerechtigkeit Christi angerechnet, und wir dürfen direkt in den Himmel kommen. Der Apostel Paulus schrieb, wie Sie sich vielleicht erinnern: *„Wir sind aber guten Mutes und möchten lieber ›ausheimisch‹ vom Leib und ›einheimisch‹ beim Herrn sein"* (2Kor 5,8). Die gute Nachricht lautet, dass wir dieselbe Zuversicht wie Paulus haben können.

Eines Tages stellte eine Frau in einer Talkshow folgende Frage: „Mein Vater war zwar religiös, aber er starb, ohne an Jesus als seinen Retter zu glauben ... Gibt es eine Möglichkeit für mich, etwas zu tun, um ihn aus dem Zustand herauszuholen, von dem ich glaube, dass er sich jetzt darin befindet?"

Ich antwortete: „Ich habe eine gute und eine schlechte Nachricht für Sie. Zuerst die schlechte: Nein, Sie können nichts tun, um das ewige Schicksal Ihres Vaters zu ändern. Die gute Nachricht lautet, dass das, was Gott tun wird, auf jeden Fall gerecht ist. Nicht eine einzige Tatsache wird beim Gericht über Ihren Vater übersehen werden. Es gibt auch nicht die Möglichkeit, dass Informationen falsch interpretiert werden oder die Strafe ungerecht vollstreckt wird." (Darüber werden wir im Kapitel über die Hölle noch ausführlicher sprechen.)

Bis hierher haben wir nun erfahren, dass der Tod zwei Gesichter hat: Für den Ungläubigen ist der Gedanke an den Tod schrecklich, oder er sollte es zumindest sein. Doch für diejenigen, die mit Gott Frieden gemacht haben, ist der Tod ein Segen. Der Tod ist ein Mittel der Erlösung, eine Tür in eine herrliche Ewigkeit. Was das genau bedeutet, werden wir in späteren Kapiteln beschreiben.

Wenn sich der Vorhang für uns teilt, müssen wir uns dem Urteil stellen. Fünf Minuten nach unserem Tod werden wir entweder in den Himmel erhoben oder dem Schrecken des Hades übergeben. Und es wird zu spät sein, unsere Reiseroute noch zu ändern.

Doch nun wollen wir uns mit der helleren Seite des Todes beschäftigen.

DER AUFSTIEG ZUR HERRLICHKEIT

Ein Ausgang – Ein ruhiger Schlaf – Ein abgebrochenes Zelt – Ein Segelschiff – Eine ewige Heimat – Positive Trauer

Der Arzt hat Ihnen gerade mitgeteilt, dass Ihnen genau das geschehen ist, wovon Sie glaubten, dass es nur anderen Leute passieren würde. Ihre schlimmsten Befürchtungen wegen des Knotens haben sich bestätigt: Sie haben eine seltene Krebsart, die immer tödlich ausgeht. Der Chirurg sagt Ihnen, dass Sie höchstens noch ein Jahr zu leben haben.

Woher bekommen Sie Trost? Natürlich von Ihrer Familie und Ihren Freunden, ja, denn Sie haben sie jetzt nötiger als je zuvor. Alle sitzen in starrem Entsetzen, als Sie ihnen die Nachricht erzählen, und jeder versichert Ihnen, dass er für Sie beten wird. Sie wissen, dass sie nicht allein durch die Finsternis müssen.

Natürlich wenden Sie sich auch an Gott. Sie haben Jesus Christus persönlich kennengelernt und haben Ihr Leben in Gehorsam ihm und seinen Geboten gegenüber geführt. Sie kennen Gottes Verheißungen auswendig. In gewissem Sinne sind Sie auf diese Stunde vorbereitet worden, seit Sie vielleicht schon vor Jahren Ihr Vertrauen auf den zuverlässigen Erlöser gesetzt haben.

Zweifellos werden Sie zwischen Verzweiflung und Hoffnung schwanken, zwischen dem Wunsch zu kämpfen und dem Nicht-Wahrhaben-Wollen. Vielleicht machen Sie sich mehr Sorgen um die Menschen, die Sie zurücklassen werden, als um sich selbst. Niemand von uns kann vorhersagen, wie wir reagieren werden, wenn eine solch schlimme Nachricht uns selbst betrifft.

Und doch präsentiert uns die Bibel ein völlig anderes Bild vom Tod, das uns Hoffnung geben sollte. Nachdem Adam und Eva gesündigt hatten, starben sie sowohl geistlich als auch körperlich. Dass Gott sie aus dem Garten ausschloss, war kein grausamer Akt Gottes, sondern sogar ein Zeichen seiner Güte. Wir lesen: *„Und nun, dass er nicht etwa seine Hand ausstreckt und auch noch von dem Baum des Lebens nimmt und isst und ewig lebt! Und der Herr, Gott, schickte ihn aus dem Garten Eden hinaus, den Erdboden zu bebauen, von dem er genommen war“* (1Mo 3,22-23).

Wenn Adam und Eva von dem anderen Baum im Garten Eden gegessen hätten, nämlich vom Baum des Lebens, dann hätten sie ewig in ihrem sündigen Zustand leben müssen. Sie hätten nie den Himmel erreichen können, den Gott doch für sie geplant hatte. Stellen Sie sich vor, wir müssten für immer Sünder bleiben, ohne die Möglichkeit, erlöst und für immer verwandelt zu werden. Obwohl wir niemals dem endgültigen Tod entgegensehen müssten, wären wir doch zu einem schrecklichen Zustand verurteilt.

Deshalb verhinderte Gott, dass Adam und Eva für immer in ihrem sündigen Zustand bleiben mussten, indem er ihnen die Gabe des Todes schenkte – die Möglichkeit, aus diesem Leben zu scheiden, um sicher im zukünftigen Leben anzukommen. Der Tod, der größte Feind des Menschen, würde sich schließlich als sein bester Freund erweisen. Nur durch den Tod können wir zu Gott kommen (es sei denn, dass wir noch leben, wenn Jesus wiederkommt).

Aus diesem Grund bezeichnete Paulus den Tod als ein Eigentum des Christen: *„Alles ist euer. Es sei Paulus oder Apollos oder Kephas, es sei Welt oder Leben oder Tod, es sei Gegenwärtiges oder Zukünftiges: alles ist euer, ihr aber seid Christi, Christus aber ist Gottes"* (1Kor 3,21-23). Es sollte uns nicht überraschen, dass der Tod hier als eine der Gaben aufgelistet ist, die uns gehören. Nur der Tod kann uns die Gabe der Ewigkeit schenken.

Als zur Zeit des Römischen Reiches die Christen verfolgt wurden, erkannten die Gläubigen, dass die Heiden ihnen vieles nehmen konnten: Reichtum, Nahrung, Freunde, ihre Gesundheit, um nur einiges aufzuzählen. Aber sie konnten den Christen nicht die Gabe des Todes nehmen, der sie in die Gegenwart Gottes führen würde. Gott benutzte die Heiden sogar oft, um seinen Kindern dieses besondere Geschenk zu geben, ohne das niemand den Herrn sehen kann.

Denken Sie nur, wie machtlos der Tod eigentlich ist! Statt uns unserer Reichtümer zu berauben, schenkt er uns „ewige Reichtümer". Statt unserer schlechten Gesundheit gibt uns der Tod Anteil am Baum des Lebens, der „zur Heilung der Nationen" da ist (Offb 22,2). Der Tod mag uns zeitweilig unsere Freunde nehmen, aber nur, um uns in das Land zu führen, in dem es kein Abschiednehmen mehr gibt.

Deshalb konnte Jesus sagen: *„Fürchtet euch nicht vor denen, die den Leib töten, die Seele aber nicht zu töten vermögen; fürchtet aber vielmehr den, der sowohl Seele als auch Leib zu verderben vermag in der Hölle!"* (Mt 10,28). Der Körper mag zeitweilig im Besitz von Krebs oder bösen Menschen sein, doch diese Feinde können nicht verhindern, dass die Seele einmal zu Gott kommen wird. Wenn die Henker ihr schlimmstes Werk vollbracht haben, wird Gott sein Bestes getan haben.

Fahren Sie einmal vor das Hilton-Hotel in New York: Ein Bediensteter wird Ihr Auto für Sie parken und der Portier wird Ihnen die Tür öffnen, um Sie hereinzulassen. Genauso ist der Tod das Mittel, mit dem unser Körper zur Ruhe gebracht wird, während unser Geist durch die Tür des Himmels geleitet wird. Der Tod selbst führt uns an das Tor, doch es wird dann von dem geöffnet, von dem geschrieben steht: *„Der Heilige, der Wahrhaftige, der den Schlüssel Davids hat, der öffnet, und niemand wird schließen, und schließt, und niemand wird öffnen"* (Offb 3,7). Wenn das Hilton schon stolz ist, vierundzwanzig Stunden am Tag einen Portier zur Verfügung zu stellen, würde dann der Gute Hirte weniger tun?

Christus kam, so schreibt der Verfasser des Hebräerbriefes, *„um durch den Tod den zunichtezumachen, der die Macht des Todes hat, das ist den Teufel, und um alle die zu befreien, die durch Todesfurcht das ganze Leben hindurch der Knechtschaft unterworfen waren"* (Hebr 2,14-15). Satan hat nicht die Macht über den Tod in dem Sinne, dass er bestimmen kann, wann ein Gläubiger stirbt. Doch er hat die *Furcht* vor dem Tod benutzt, um Christen zu knechten, weil sie nicht in der Lage waren, auf den Vorhang mit der Zuversicht zuzugehen, die die „Gewissheit des Glaubens" uns schenkt.

In den nächsten Abschnitten möchte ich genauer untersuchen, was wir erwarten können, wenn sich der Vorhang für diejenigen teilt, die durch Jesus Frieden mit Gott haben. Ich möchte hier Trost geben, indem ich fünf Bilder aufgreife, die uns zu verstehen helfen, wie das Neue Testament den Tod sieht. Alle, die vorbereitet sind, brauchen diese Reise nicht zu fürchten.

Der Tod wird im Neuen Testament von einem Ungeheuer zu einem Diener. Was uns zunächst einzusperren scheint, befreit uns zur Begegnung mit Gott. Hier sind einige Trostworte, die uns helfen, den Schlag zu ertragen.

EIN AUSGANG

Jesus Christus, dessen Mut angesichts des Todes unser Vorbild ist, bezeichnete seinen Tod als Abschied. Als auf dem Berg der Verklärung Mose und Elia erschienen, sprachen sie mit ihm über *„seinen Ausgang, den er in Jerusalem erfüllen sollte"* (Lk 9,31). Das Wort „Ausgang" heißt im Griechischen *Exodus*, welches auch dem zweiten Buch Mose seinen Namen gegeben hat, weil hier berichtet wird, wie Israel aus Ägypten auszieht.

Genauso wie Mose das Volk aus der Knechtschaft führte, so musste auch Jesus Christus durch sein eigenes Rotes Meer ziehen, um die Feinde zu verwirren und sein Volk ins Gelobte Land zu führen. Sein „Ausgang" ist sicher, denn er kann uns sicher den ganzen Weg von der Erde zum Himmel führen.

Wir brauchen uns nicht zu fürchten, die Reise von Ägypten nach Kanaan anzutreten. Das Volk brauchte nur Mose, dem Diener Gottes, zu folgen. Als sie das Rote Meer durchschritten hatten, lag das Land Kanaan vor ihnen. Wenn Sie einen guten Führer haben, können Sie die Reise genießen.

Auch brauchen wir keine Angst zu haben, endgültig den Ausgang aus diesem Leben zu finden, denn wir folgen unserem Hirten, der schon vor uns diesen Weg gegangen ist. Wenn sich der Vorhang teilt, werden wir ihn nicht nur auf der anderen Seite finden, sondern auch entdecken, dass er derjenige ist, der uns zu dem Vorhang geführt hat.

Kurz vor seinem Tod sagte Jesus seinen Jüngern, dass er an einen Ort gehe, wohin sie ihm nicht folgen könnten. Petrus gefiel das überhaupt nicht, denn er wollte Jesus überallhin folgen. Doch Jesus antwortete: *„Wohin ich gehe, dorthin kannst du mir jetzt nicht folgen; du wirst mir aber später folgen“* (Joh 13,36).

Ja, jetzt, da Jesus gestorben, auferstanden und zum Himmel aufgefahren ist, werden wir ihm alle folgen. Das Wissen, dass er uns nicht befiehlt, irgendwo hinzugehen, wohin er nicht schon selbst gegangen ist, macht uns großen Mut. Er, der erfolgreich abgetreten ist, wird unser Hinscheiden ebenso erfolgreich gestalten. Jesus bezahlte die Schuld für unsere Sünden am Kreuz, und die Auferstehung ist gewissermaßen unsere Quittung dafür. Seine Auferstehung ist der „Kaufbeleg.“

Ein kleines Mädchen wurde einmal gefragt, ob es sich nicht fürchten würde, über den Friedhof zu gehen. Sie antwortete: „Nein, denn auf der anderen Seite bin ich ja zu Hause!“ Wir brauchen einen Auszug dann nicht zu fürchten, wenn wir auf dem Weg in ein besseres Land sind.

EIN RUHIGER SCHLAF

Als Jesus das Haus des Synagogenvorstehers betrat, tröstete er die Menge, indem er sagte, dass die Tochter des Vorstehers nicht tot sei, sondern schlafe (Lk 8,52). Bei einer anderen Gelegenheit, als er sich nämlich auf die Reise nach Bethanien machte, sagte er zu den Jüngern: *„Lazarus, unser Freund, ist eingeschlafen; aber ich gehe hin, damit ich ihn aufwecke“* (Joh 11,11).

Paulus benutzte dasselbe Bild, als er lehrte, dass einige Gläubige den Tod nicht erleben, sondern aus dem Leben genommen würden, um sofort Jesus zu begegnen. *„Siehe, ich sage euch ein Geheimnis: Wir werden nicht alle entschlafen, wir werden aber alle verwandelt werden"* (1Kor 15,51). Nicht jeder Mensch wird sterben, sondern einige werden die Wiederkunft Christi erleben. Dann wird der Tod als ruhiger Schlaf bezeichnet.

Wie Sie sicherlich wissen, gibt es eine Gruppe von Theologen, die den „Seelenschlaf" lehren. Das heißt, sie glauben, dass niemand im Tod bei Bewusstsein ist, weil die Seele bis zur Auferstehung des Körpers schläft. Obwohl diese Ansicht einige energische Verfechter hat, so besteht doch das Problem, dass man viele Schriftstellen uminterpretieren muss, damit diese Lehre noch stimmt.

Mose hat sicherlich nicht bis zum Tag seiner Wiedererweckung „geschlafen", als er auf dem Berg der Verklärung erschien. Wenn wir behaupten, dass er schon wieder auferstanden sei, machen wir eine Annahme, die nirgends in der Bibel unterstützt wird. Wir sollten uns mit der Tatsache zufriedengeben, dass er, obwohl er gestorben und von Gott begraben wurde, nicht „ohne Bewusstsein" war, sondern in der Lage, mit Jesus zu sprechen. Als Stephanus starb, bat er nicht, dass das Grab ihn aufnehme, sondern: *„Herr Jesus, nimm meinen Geist auf!"* (Apg 7,59). Offensichtlich sah er keinen bewusstlosen Zustand voraus, sondern wartete auf die sofortige Herrlichkeit des Himmels und die Gemeinschaft mit Christus.

Dann gibt es noch die Geschichte von dem sterbenden Verbrecher, zu dem Jesus sagte: *„Wahrlich, ich sage dir: Heute wirst du mit mir im Paradies sein"* (Lk 23,43). Hier wird nun argumentiert, dass der Verbrecher *nicht* an diesem Tag ins Paradies eingehen würde, und Jesus es ihm nur versprochen hätte.

Das Problem ist, dass Griechischkenner einig sind, dass diese andere Anordnung der Worte „grammatikalisch sinnlos" ist.[12] Es war schon sehr deutlich, dass Christus an diesem Tag diese Worte dem Verbrecher sagte (er hätte es ja weder am vorhergehenden noch am nachfolgenden Tag tun können!) Eindeutig tröstete Jesus den Verbrecher, indem er ihm zusagte, dass sie sich noch *vor Ende dieses einen Tages* im Paradies begegnen würden. Wenn man dem Text eine andere Bedeutung aufzwingen will, indem man das Vorurteil eines Seelenschlafes hineinlesen will, so tut man dem Glauben keinen Gefallen.

Paulus erwartete ganz fest, dass er nach seinem Tod bei Christus sein würde. Er schreibt, dass er ein großes Verlangen habe, *„abzuscheiden und bei Christus zu sein, denn es ist weit besser"* (Phil 1,23). Paulus sehnt sich nicht nach dem Tod, damit seine Seele schlafen kann, sondern er sehnt sich nach dem Tod, weil er weiß, dass er dann bei Christus ist, was viel besser ist. Und wieder schreibt er, dass es ihm lieber ist, *„›ausheimisch‹ vom Leib und ›einheimisch‹ beim Herrn"* zu sein (2Kor 5,8). Es gibt keine echte Möglichkeit, diese Stelle zu interpretieren, außer wir verstehen darunter, dass er erwartete, gleich nach seinem Tod bei Christus zu sein.

Schlafen wird im Neuen Testament nur deshalb als ein Bild für den Tod benutzt, weil der *Körper* bis zum Tag der Auferstehung schläft, nicht jedoch die Seele. Schlaf wird als Bild für den Tod benutzt, weil wir schlafen, um wieder frisch zu werden. Wir freuen uns auf den Schlaf, wenn wir erschöpft sind und unsere Arbeit getan ist. Weiter fürchten wir uns nicht davor einzuschlafen, denn wir gehen davon aus, dass wir am Morgen wieder aufwachen, denn wir haben tausende Male erlebt, dass das Licht des Tages wiederkommt.

Gerade letzte Nacht kam ich um halb drei Uhr morgens von einem Abend zurück, an dem ich eine Rede zu halten hatte. Ich war so erschöpft, dass ich mich nur noch daran erinnern kann, wie ich meinen Kopf auf mein Kissen gelegt habe. Ich sehnte mich nach Schlaf, der sehr schnell und voller Friede über mich kam. Heute morgen bin ich erfrischt und kann mit einer Arbeit fortfahren, die ich schon vor Tagen begonnen habe. Schlaf ist eine willkommene Erfahrung für diejenigen, die den Morgen nicht zu fürchten brauchen.

Der Unterschied besteht natürlich darin, dass wir noch nie gestorben sind, deshalb sind wir uns nicht so sicher, wie es sein wird, in der Ewigkeit zu erwachen. Doch eines ist sicher: Diejenigen, die in dem Herrn sterben, brauchen das Unbekannte nicht zu fürchten, denn sie schlafen ein, um in Gottes Armen zu erwachen.

Es ist schwierig einzuschlafen, wenn man nicht müde ist. Genauso freuen wir uns nicht darauf „in Jesus zu entschlafen", wenn wir uns guter Gesundheit erfreuen, wenn wir einen erfüllenden Beruf haben und vielleicht noch eine intakte Familie. Doch der Tag wird kommen, an dem wir uns das nicht länger aussuchen können und dem Ruf des Höchsten folgen müssen. Wenn wir lange genug leben sollten, um des Lebens müde zu werden, dann wird uns der Gedanke an das Einschlafen sehr gefallen. Viele Heilige haben schon mit wachsender Freude den Tag ihrer endgültigen Ruhe erwartet.

Das Buch der Offenbarung beschreibt die Menschen, die dem Tier folgen (dem Antichristen), als solche, die *„Tag und Nacht ... keine Ruhe haben"* (Offb 14,11), doch diejenigen, die zum Herrn gehören, werden so beschrieben: *„Glückselig die Toten, die von jetzt an im Herrn sterben! ... Sie ruhen von ihren Mühen, denn ihre Werke folgen ihnen nach“* (V. 13). Für Gläubige ist der Tod eine freudige Ruhe der Erfüllung. Und ihre Werke folgen ihnen nach, das heißt, sie werden in den Annalen der Ewigkeit niemals verloren gehen. Wie ein Kiesel, der in einen Teich geworfen wird, dort immer weiter sich ausbreitende Kreise zieht, so werden die Taten der Gläubigen in alle Ewigkeit weiterbestehen. Glückselig sind die Toten, die in dem Herrn sterben!

„Ich aber, ich werde dein Angesicht schauen in Gerechtigkeit, werde gesättigt werden, wenn ich erwache, mit deinem Bild“ (Ps 17,15). Endlich Ruhe!

EIN ABGEBROCHENES ZELT

Paulus bezeichnete den Tod als Abbrechen eines Zeltes: *„Denn wir wissen, dass, wenn unser irdisches Zelthaus zerstört wird, wir einen Bau von Gott haben, ein nicht mit Händen gemachtes, ewiges Haus in den Himmeln“* (2Kor 5,1).

Unser gegenwärtiger Leib ist wie ein Zelt, in dem unser Geist wohnt, ein vorläufiges Gebäude. Zelte gehen in Stürmen und bei schlechtem Wetter leicht kaputt. Wenn sie regelmäßig benutzt werden, müssen sie häufig geflickt werden. Ein zerfetztes Zelt ist für uns das Signal, dass wir bald umziehen müssen. Der Tod führt uns aus dem Zelt in den Palast, wir bekommen statt unserer alten Adresse auf der Erde eine neue im Himmel.

Sicherlich sind Ihnen schon Camping-Freunde begegnet, die am liebsten das ganze Jahr über im Zelt wohnen würden. Das können sie natürlich tun, bis die kalte Jahreszeit kommt. Je ungemütlicher es draußen wird, desto eher sind sie bereit, wieder in einem Haus zu wohnen. Deshalb sehnen sich die Verfolgten und Schwerkranken nach dem Himmel, während die Gesunden mit ihrem vollen Terminkalender den Tod am liebsten immer weiter vor sich herschieben wollen. Doch auch für die Stärksten unter uns kommt die Zeit, ihr Zelt zu verlassen.

Einige Menschen leben, als könnten sie diesen gegenwärtigen Körper für immer behalten, und erkennen nicht, wie er verfällt. Ein Zelt erinnert uns daran, dass wir nur Pilger hier auf der Erde sind, die auf dem Weg zu ihrer endgültigen Heimat sind. Jemand hat einmal gesagt, dass wir unsere Zeltpflöcke nicht zu tief setzen sollten, da wir am Morgen wieder aufbrechen!

EIN SEGELSCHIFF

Paulus vergleicht den Tod auch mit dem Ablegen eines Schiffes. In einem Abschnitt, den wir schon zitiert haben, schreibt er: *„Ich werde aber von beidem bedrängt: Ich habe Lust, abzuscheiden und bei Christus zu sein; denn es ist weit besser“* (Phil 1,23). Das Wort „abscheiden“ wurde auch benutzt, um das Lichten eines Ankers zu beschreiben. A. T. Robertson übersetzt den Ausdruck mit „den Anker lichten und auf See gehen.“

Dank Christus ist Paulus bereit, sich auf diese besondere Reise zu begeben, die ihn an sein himmlisches Ziel bringen soll. Jesus Christus ist schon gut auf der anderen Seite angekommen und wartet zusammen mit vielen Freunden auf Paulus. Natürlich hat Paulus im Diesseits auch viele Freunde, und deshalb fügt er hinzu: *„Das Bleiben im Fleisch aber ist nötiger um euretwillen“* (V. 24).

Paulus saß gewissermaßen auf gepackten Koffern. Doch im Moment hielt ihn der Kapitän des Schiffes noch zurück. Ein paar Jahre später war Paulus dem Ablegen von der Küste dieses Lebens noch näher. Wieder nannte er seinen Tod einen Abschied: *„Denn ich werde schon als Trankopfer gesprengt, und die Zeit meines Abscheidens steht bevor“* (2Tim 4,6). Das Signal zu seiner Abfahrt stand kurz bevor. Er verabschiedete sich, allerdings nur für jetzt. Er kehrte nicht zu Timotheus zurück, aber Timotheus würde ihm schon bald nachfolgen, und sie würden sich wiedersehen.

Der Verfasser des Hebräerbriefes greift dasselbe Bild auf und sagt, dass wir zu Christus fliehen können, um die Hoffnung zu ergreifen, die uns verheißen ist. Er fügt hinzu: *„Diese haben wir als einen sicheren und festen Anker der Seele, der in das Innere des Vorhangs hineinreicht, wohin Jesus als Vorläufer für uns hineingegangen ist“* (Hebr 6,19-20). Das bedeutet, dass wir nicht in uns selbst verankert sind. Wir suchen unsere Sicherheit weder bei Gefühlen noch bei Erfahrungen. Unser Anker ist bei Jesus Christus im Allerheiligsten festgemacht, wo er jetzt wohnt, weil sein Blut uns die Erlösung gebracht hat.

Philip Munro meint, dass das Bild, das hier verwendet wird, auf den Vorläufer in der Antike zurückgeht, der half, ein Schiff sicher in den Hafen zu bringen. Er sprang vom Schiff, watete bis zur Küste und befestigte das starke Schiffstau an einem Felsen am Ufer. Dann wurde das Schiff mit einer Winde in den Hafen gezogen.

Genauso ist unser Vorläufer in den Himmel vorausgegangen, wo er bereitsteht, um uns sicher ins Allerheiligste zu geleiten. Wir sind an einem Felsen befestigt, den niemand wegbewegen kann. Mögen die Stürme auch unsere Segel in Fetzen reißen, mögen die Planken einbrechen, mögen uns die Winde von unserem Kurs abbringen, mag uns die Flut überspülen, wir werden sicher in den Hafen gelangen. Jeden Tag zieht uns der ein wenig weiter in den Hafen, der bewiesen hat, dass er stärker ist als der Tod.

Wir haben einen Anker,
der die Seele sicher und fest macht,
auch wenn die Brecher rollen.
Festgemacht am Felsen, den nichts bewegen kann,
sind wir fest und tief in der Liebe des Heilandes
gegründet.

John Drummond erzählt die Geschichte eines Kapitäns, der gebeten wurde, einen Sterbenden im Krankenhaus zu besuchen. Als der Kapitän das Krankenzimmer betrat, bemerkte er, dass über dem Bett des Kranken verschiedene Flaggen an der Wand angebracht waren. Als die beiden miteinander sprachen, bemerkten sie, dass sie beide vor vielen Jahren auf demselben Schiff gedient hatten.

„Was haben diese Flaggen zu bedeuten?" fragte der Kapitän.

„Hast du diese Symbole schon vergessen?" fragte der Sterbende. Dann fuhr er fort: „Diese Flaggen bedeuten, dass das Schiff klar zum Ablegen ist und nur noch auf seine Befehle wartet."

Wir müssen diese Fahnen immer aufgezogen haben, denn wir kennen weder den Tag noch die Stunde unserer Abfahrt. Manchem wird länger vorher Bescheid gegeben, manchem weniger lang, aber wir alle müssen gehen, wenn die himmlische Uhr für uns schlägt.

Es ist gut, dass wir uns auf das letzte Wegstück vorbereiten können. Jesus Christus führt die Seinen sicher in den Hafen.

EINE EWIGE HEIMAT

In gewissem Sinne ist es kein Gleichnis, wenn wir den Himmel unsere Heimat nennen, denn der Himmel *ist* unsere Heimstatt. Sie werden sich daran erinnern, dass Jesus Christus davon sprach, dass er seine Jünger verlassen würde, um ihnen Wohnungen im Himmel zu bereiten:

> *Im Hause meines Vaters sind viele Wohnungen. Wenn es nicht so wäre, würde ich euch gesagt haben: Ich gehe hin, euch eine Stätte zu bereiten? Und wenn ich hingehe und euch eine Stätte bereite, so komme ich wieder und werde euch zu mir nehmen, damit auch ihr seid, wo ich bin. (Joh 14,2-3)*

Wir sollten meinen, dass Jesus Christus nicht 2000 Jahre damit beschäftigt gewesen ist, um den Himmel für uns vorzubereiten. Manche haben schon gewitzelt, dass Jesus auf Erden Zimmermann gewesen sei, und dass er seinem Beruf auch in der Ewigkeit nachgehen würde, indem er unsere Wohnungen fertigstelle.

Aber als Gott braucht er nicht besonders früh anzufangen. Er kann unsere künftige Wohnung in einem Augenblick erschaffen. Jesus Christus will hier einfach nur sagen, dass er so, wie eine Mutter sich auf die Ankunft eines Sohnes vorbereitet, der zur See gefahren ist, auf unsere Ankunft im Himmel wartet. Der Himmel wird unsere Heimat genannt, denn dort gehören wir hin.

Paulus schrieb, dass wir in dieser Welt im Körper „einheimisch" sind, doch in der zukünftigen Welt werden wir „beim Herrn einheimisch" sein (2Kor 5,6-8). Und er lässt keinen Zweifel, welches Heim er bevorzugt: „*Wir sind aber guten Mutes und möchten lieber ›ausheimisch‹*

vom Leib und ›einheimisch‹ beim Herrn sein" (V. 8). Verständlicherweise zog er eine Wohnung dem Zelt vor.

Als ich von zu Hause auszog, habe ich mich nie davor gefürchtet, zurückzukommen. Ich war auf der Universität oft so allein, dass ich kaum die Weihnachtsferien erwarten konnte, um nach Hause fahren und meine Eltern und Geschwister wiedersehen zu können. Dort am Tisch wurde ich geliebt, angenommen und, wenn nötig, getröstet. Trautes Heim, Glück allein!

Warum sollten wir den Tod fürchten, wenn er uns zu unserer endgültigen Heimat führt? Jesus Christus versichert uns, dass wir nichts zu fürchten haben. Die Tatsache, dass wir sterben werden, gibt uns den Mut und die Hoffnung, als Überwinder in dieser Welt zu leben!

Die meisten von uns finden Trost, wenn ihnen gesagt wird, dass sie noch eine Weile leben dürfen, doch Paulus wurde getröstet, als ihm gesagt wurde, dass er sterben würde. Immer wieder bezeichnete er den Tod als „weit besser".

Die Tatsache, dass wir dem Tod nicht optimistisch entgegengehen, könnte darin begründet liegen, dass wir denken, dass uns der Tod aus unserer Heimat *herausreißt* anstatt uns zu ihr zu bringen. Anders als Paulus sind wir unserem Zelt so zugetan, dass wir gar nicht umziehen wollen. Das alte Lied drückt das am besten aus:

Diese Welt ist nicht meine Heimat,
ich reise nur hindurch.
Meine Schätze sind aufbewahrt
irgendwo hinter dem blauen Himmel.

Sterben heißt heimkehren in den Himmel. Leben bedeutet, auf der Erde in einem fremden Land zu sein.

Eines Tages werden wir diesen Unterschied viel besser verstehen, denn schon jetzt gehört uns die Zukunft im Glauben.

Im Alten Testament findet sich die schöne Geschichte eines Mannes, der in den Himmel geholt wurde, ohne zu sterben. *„Und Henoch wandelte mit Gott; und er war nicht mehr da, denn Gott nahm ihn hinweg"* (1Mo 5,24). Ein kleines Mädchen erzählte ihrer Mutter einmal, was sie in der Sonntagschule gelernt hatte: „Eines Tages gingen Henoch und Gott auf einen langen Spaziergang, bis Henoch meinte, es sei doch schon spät. Und der Herr sagte: ›Wir sind jetzt schneller bei mir zu Hause als bei dir, warum kommst du nicht mit und bleibst bei mir?‹"

Wenn wir näher beim Himmel als bei der Erde sind, dann werden wir einfach den Weg zu Gottes Haus mitgehen. Dort ist unser Zuhause.

POSITIVE TRAUER

Obwohl wir durch diese Bilder getröstet werden, kann es immer noch sein, dass der Tod uns Schrecken einjagt. Paulus fragt: *„Wo ist, Tod, dein Sieg? Wo ist, Tod, dein Stachel?"* (1Kor 15,55). Eine Biene kann einen Menschen nur einmal stechen. Obwohl uns das Insekt noch Angst einflößen kann, wenn der Stachel weg ist, kann es uns doch nicht schaden. Weil Jesus Christus dem Tod den Stachel genommen hat, kann uns der Tod nur drohen, aber er kann seine Drohung nicht mehr wahr machen.

Werden wir Mut zum Sterben haben? Ich habe bisher noch nicht mit meinem baldigen Tod zu rechnen gehabt und ich kann nicht voraussagen, wie ich reagieren würde, wenn man mir sagen würde, dass ich eine tödliche Krankheit hätte.

Ich für meinen Teil würde den Mut zum Sterben am liebsten schon jetzt haben, bevor ich ihn brauche. Doch der berühmte englische Prediger Charles Spurgeon sagte, dass der Tod der letzte Feind ist, der vernichtet wird, und wir sollten ihn uns auch bis zum Schluss aufheben. Er fügt hinzu:

> *„Bruder, du brauchst keinen Mut zum Sterben, ehe es nicht wirklich ans Sterben geht. Was würde dir der Mut denn nützen, wenn du noch lebst? Ein Boot brauchst du erst, wenn du zu einem Fluss kommst. Bitte doch lieber um Mut zum Leben und verherrliche Jesus dadurch, und dann wirst du auch Mut zum Sterben haben, wenn deine Stunde gekommen ist."*
> *„Dein Feind wird vernichtet, aber nicht heute. … Heb dir die Waffen auf, bis der letzte Feind angreift, und in der Zwischenzeit versuche, deine Stellung im Kampf zu halten. Gott wird, wenn es Zeit dazu ist, helfen, den letzten Feind zu überwinden, doch in der Zwischenzeit sieh zu, dass du die Welt, das Fleisch und den Satan überwindest."*

Einige Gläubige, die meinten, sie könnten dem Tod nicht gegenübertreten, hatten die Kraft, dankbar abzutreten, als ihre Zeit gekommen war. Derselbe Gott, der uns auf Erden führt, wird uns auch den gesamten Weg in den Himmel begleiten. *„Nach deinem Rat leitest du mich, und nachher nimmst du mich in Herrlichkeit auf"* (Ps 73,24).

Als Corrie ten Boom ein Mädchen war, hatte sie ihre erste Begegnung mit dem Tod, als sie die Wohnung eines Nachbars besuchte, der gerade gestorben war. Als sie sich klarmachte, dass auch ihre Eltern eines Tages sterben würden, tröstete sie ihr Vater, indem er sie fragte: „Wenn wir nach Amsterdam fahren, wann gebe ich dir dann deine Fahrkarte?"

„Kurz bevor wir in den Zug steigen."

„Ganz genau. Und genauso wird dir unser himmlischer Vater genau das geben, was du brauchst, wenn wir sterben – er wird es dir dann geben, wenn du es nötig hast."

Mut zum Sterben heißt nicht, dass wir kein Leid zu tragen haben, ganz gleich, ob wir selbst gerufen werden oder einer unserer Lieben. Einige Christen vertreten irrtümlicherweise die Ansicht, dass Trauer einen Mangel an Glauben beweise. So sind sie der Meinung, dass man besser Stärke zeigen müsse, statt sich ehrlich mit einem schmerzlichen Verlust auseinanderzusetzen.

Gute Trauer ist Trauer, die uns hilft, in einen neuen Lebensabschnitt einzutreten. Die Witwe muss lernen, allein zu leben, die Eltern müssen die Einsamkeit ertragen, die durch den Tod des Kindes entsteht. Trauer, die sich ehrlich mit dem Schmerz auseinandersetzt, ist Teil des Heilungsprozesses. Jesus Christus weinte am Grab des Lazarus und quälte sich mit *„starkem Geschrei und Tränen"* in Gethsemane, als sein eigener Tod bevorstand (Hebr 5,7).

Wir müssen Leid und Trauer erwarten. Wenn wir schon Schmerz empfinden, wenn einer unserer Freunde von München nach Hamburg zieht, warum sollten wir dann nicht echte Trauer empfinden, wenn ein Freund uns verlässt, um in den Himmel zu kommen? Dutzende Abschnitte im Alten wie im Neuen Testament beschreiben uns, wie Gläubige getrauert haben. Als Stephanus, der erste christliche Märtyrer, gesteinigt wurde, lesen wir: *„Gottesfürchtige Männer aber bestatteten den Stephanus und stellten eine große Klage über ihn an"* (Apg 8,2).

Joe Bayly, dessen drei Söhne vor ihm gestorben sind, schrieb über seine Erfahrungen: „Der Tod verwundet uns, doch Wunden sollen auch heilen. Mit der Zeit tun sie das auch. Aber wir müssen wollen, dass sie heilen. Wir dürfen nicht wie das Kind immer wieder den Grind von der Wunde kratzen."[13] Als Christen leben wir in der Spannung zwischen dem, was „schon" uns gehört und dem „noch nicht" unserer Erfahrung. Paulus sagte, dass Christen die Wiederkunft Jesu erwarten sollten, damit sie nicht betrübt seien *„wie die übrigen, die keine Hoffnung haben"* (1Thes 4,13). Trauer gehört dazu, doch unterscheidet sie sich von der Trauer der Welt. Es besteht ein Unterschied zwischen Tränen der Hoffnung und Tränen der Hoffnungslosigkeit.

Diejenigen von uns, die die Trauernden trösten wollen, sollten sich daran erinnern, dass Worte hohl klingen können für die, die von Trauer überwältigt sind. Lasst uns *„weinen mit den Weinenden"* (Röm 12,15). Wir müssen uns vergegenwärtigen, dass wir mit unseren Taten viel lauter sprechen als mit Worten. Unsere Anwesenheit und unsere Tränen können viel mehr herüberbringen, als bloße Worte das können.

Donald Grey Barnhouse versuchte auf dem Weg vom Begräbnis seiner ersten Frau nach Hause etwas zu finden, um seine Kinder zu trösten. Gerade in diesem Augenblick fuhr ein großer Lastwagen an ihnen vorbei; und sein Schatten fiel auf sie. Sofort fragte Barnhouse: „Kinder, was ist euch lieber, von einem Lastwagen überfahren zu werden oder nur von seinem Schatten?" Die Kinder antworteten: „Natürlich vom Schatten!"

Darauf antwortete Barnhouse: „Vor zweitausend Jahren hat der Lastwagen des Todes unseren Herrn Jesus überfahren. Deshalb kann auch uns nur noch sein Schatten überfahren!"

„Auch wenn ich wandere im Tal des Todesschattens, fürchte ich kein Unheil, denn du bist bei mir." Psalm 23,4

Der Tod ist der Streitwagen, den unser himmlischer Vater sendet, um uns zu sich zu holen.

HERZLICH WILLKOMMEN!

Ihre Persönlichkeit bleibt erhalten – Der Zwischenzustand – Der Auferstehungsleib – Der Tod von Kindern – Unser Feind, unser Freund

Als Del Fahsenfeld mit einem seltenen Gehirntumor zu kämpfen hatte, kündigten ihm die Ärzte im April an, dass er Weihnachten nicht mehr erleben werde. Als ich mit ihm sprach, sagte er mir, dass er Gott voll und ganz nachfolgen wolle, solange er die Kraft dazu habe, und dass er, wenn er dann schwach würde, sein Leiden voller Zuversicht ertragen könnte. Er meinte, dass man, wenn man nachts nach Hause komme, „sich im Dunkeln in der Wohnung zurechtfinden würde, weil man so oft im Licht dort gewesen sei".

Als Del im November desselben Jahres starb, berichteten diejenigen, die bei ihm gewesen waren, dass er ruhig gestorben sei. Für ihn war die Finsternis des Todes zum Licht geworden. Er hatte sich auf seine letzten Stunden vorbereitet. Jesus Christus, den er so viele Jahre schon gekannt hatte, hatte ihn durch den Vorhang den ganzen Weg ans andere Ufer geführt.

Was erwartet uns in dem Augenblick, wenn wir sterben?

Während unsere Verwandten auf Erden trauern, werden wir uns in einer neuen Umgebung befinden, die sich jetzt noch jeglicher Vorstellung entzieht.

Wahrscheinlich werden Ihnen Engel begegnet sein, die die Aufgabe hatten, Sie zu ihrem Ziel zu bringen, so wie die Engel, die Lazarus in „Abrahams Schoß“ trugen.

Im Januar 1956 wurden fünf junge Missionare im Dschungel von Ecuador mit Speeren ermordet. Die Mörder sind heute Christen und haben Steve Saint, dem Sohn eines der Märtyrer gesagt, dass sie während des Mordens etwas gesehen und gehört hätten, von dem sie jetzt glauben, dass es Engel waren. Eine Frau, die sich in einiger Entfernung verborgen hielt, hat diese Gestalten auch über den Bäumen gesehen und wusste nicht, um welche Musik es sich handelte, bis sie einmal die Aufnahme eines christlichen Chores hörte.[14]

Obwohl solche Offenbarungen von Engeln selten sind, ist dieser Vorfall eine Erinnerung an diese himmlischen Wesen, die uns auf Erden beobachten und uns im Himmel erwarten. Natürlich ist unsere größte Sehnsucht, den Herrn Jesus zu sehen, der uns dort willkommen heißen wird, doch die Engel werden ebenfalls anwesend sein.

Weil wir Jesu Schafe sind, ruft er uns mit Namen. Vielleicht steht er dabei sogar auf, wie er es bei Stephanus getan hat (Apg 7,55). Wir werden ihm in die Augen schauen und dort Mitleid, Liebe und Verständnis finden. Obwohl wir unwürdig sind, werden wir wissen, dass er sich wirklich auf uns freut. Wir werden die Nagelwunden sehen, und das wird in uns Erinnerungen heraufbeschwören, die dazu führen, dass wir zu seinen Füßen anbeten werden. Wenn nicht seine sanfte Hand uns aufrichten würde, wären wir zu schwach, um uns wieder zu erheben.

So vieles wird anders sein, und doch bleiben Sie selbst sich gleich. Sie kommen ohne Bewusstseinsunterbrechung in den Himmel. Auf der Erde begraben unsere Freunde unseren Körper, aber *uns* können sie nicht begraben. Die Persönlichkeit des Menschen überlebt den körperlichen Tod. Kurz bevor Stephanus starb, sagte er: *„Herr Jesus, nimm meinen Geist auf."* Er sagte nicht: „Nimm meinen Körper auf." Der Tod, hat einmal jemand gesagt, ist eine „machtvolle Angelegenheit", denn Sie werden einfach ohne Unterbrechung an einem anderen Ort weiterleben.

IHRE PERSÖNLICHKEIT BLEIBT ERHALTEN

Wir sind es gewohnt, uns über die Unterschiede zu unterhalten, die es geben wird, wenn wir von der Erde in den Himmel kommen werden. Doch es wird auch Ähnlichkeiten geben. Von der Tatsache ausgehend, dass unsere Persönlichkeit erhalten bleibt, können wir eine Kontinuität erwarten. Der Himmel ist das irdische Leben des Gläubigen in verherrlichter und vervollkommneter Form.

DAS PERSÖNLICHE WISSEN BLEIBT ERHALTEN

Fünf Minuten nach unserem Tod werden unser Verstand und unsere Erinnerungen klarer sein als je zuvor. In Kapitel 2 haben wir uns an die Geschichte Jesu vom reichen Mann erinnert, der mit seinem vollen Erinnerungsvermögen in den Hades kam. Er kannte seine Familie auf Erden noch und bat für seine fünf Brüder. Der Tod verändert unser Wissen nicht, unsere Persönlichkeit wird mit derselben Information weiterleben, die wir jetzt auch in unserem Gehirn gespeichert haben.

Denken Sie einmal an Ihr Umfeld: Ihre Eltern, Brüder, Schwestern, an Familienfeiern. Natürlich werden Sie sich im Himmel an all das und mehr erinnern.

Meinen Sie wirklich, dass wir im Himmel weniger wissen als auf der Erde? Einfach unvorstellbar!

Sobald wir im Himmel sind, werden wir bald vielen anderen begegnen, von denen wir einige in unserem Leben gekannt haben; von anderen haben wir in der Kirchengeschichte gehört, und vielen werden wir begegnen, die wir nicht mit Namen kennen, die aber in der künftigen Welt ebenso geehrt sind. Auf dem Berg der Verklärung begegneten drei Jünger dem Mose und dem Elia. Soweit wir wissen, wurden sie einander nicht vorgestellt, und Namensschilder gab es auch nicht. Im Himmel wird es intuitives Wissen geben, denn unser Geist wird von den Beschränkungen befreit sein, die die Sünde ihm auferlegt hat.

Natürlich werden wir nicht alles wissen, denn Allwissenheit gebührt nur Gott. Doch wir werden *„erkennen"*, wie auch wir *„erkannt"* sind (1Kor 13,12). Im Himmel werden wir alles wissen, was wir auf der Erde gewusst haben, und noch mehr dazu. Nur unser Verlangen nach Sünde wird nicht mehr Teil unserer Existenz sein.

DIE PERSÖNLICHE ZUNEIGUNG BLEIBT ERHALTEN

Wieder erinnern wir uns an den Reichen, der sich um seine Brüder Sorgen machte, damit sie nicht auch an den Ort der Qual kommen sollten. Er wusste nicht nur, wer seine Brüder waren, sondern sorgte sich auch um sie. Er liebte sie so sehr, dass er bereit war, sie nie wieder zu sehen, wenn sie nur nicht zu ihm ins Verderben kommen sollten. Er würde die Isolation ertragen, wenn sie dafür Versöhnung bekommen könnten.

Liebe Witwe, natürlich wird dein Mann, der jetzt im Himmel ist, dich so weiterlieben, wie er das auf Erden getan hat. Heute liebt er stärker, zarter und reiner. Er liebt dich mit einer Liebe, die von Gott gereinigt worden ist. Deine Kinder lieben dich, ebenso dein Vater und deine Mutter. Es gibt so wenig einen Bruch in der Liebe, wie es einen Bruch im Bewusstsein gibt. Der Tod zerreißt zwar die irdischen Bande, doch erneuert sie im Himmel.

Christus hat einmal darauf hingewiesen, dass wir im Himmel weder heiraten noch verheiratet werden. Doch das bedeutet nicht, dass wir geschlechtslos wären. Im Himmel werden wir noch immer männlich oder weiblich sein. Du wirst deine Mutter im Himmel immer noch als Mutter erkennen, und du wirst deine Kinder immer noch als Mitglied deiner irdischen Familie erkennen. Ich mag den Satz, den Chet Bitterman sagte, als sein Missionarssohn von Guerillas getötet worden war: „Wir haben acht Kinder. Alle leben: einer im Himmel und sieben auf der Erde."

Unsere Liebe zu Gott wird auch im Himmel wachsen. Hier können wir endlich ohne Ablenkung Gott lieben, denn statt im Glauben leben wir nun im Schauen. Wir werden genauso weiterlieben, wie wir auch auf Erden geliebt haben, nur die Sünde werden wir nicht mehr lieben. Im Himmel werden unsere Gefühle so sein wie auf Erden, nur intensiver.

Es gibt in der Bibel keinen Hinweis für die Annahme, dass diejenigen, die im Himmel sind, uns auf Erden sehen können, doch liegt diese Annahme durchaus innerhalb des Möglichen. Wahrscheinlicher ist jedoch, dass die Erlösten bitten können, regelmäßig zu erfahren, wie es uns geht. Ich kann mir nicht vorstellen, dass eine solche Bitte abgeschlagen wird.

Als ihr Großvater starb, fragte ein siebenjähriges Mädchen ihren Vater: „Dürfen wir Jesus bitten, dass er Opa noch eine Botschaft zukommen lässt?" Er war etwas überrascht, aber erkannte, dass sein Wissen von Gott dem nicht entgegenstünde. Deshalb antwortete er: „Ja, das ist vielleicht möglich, also lass uns Jesus sagen, was Opa noch wissen soll."

Wir können zwar nicht sicher sein, ob Jesus Christus dem Opa die Mitteilung brachte, aber wir müssen doch einsehen, dass die Theologie dieses Mädchens weitaus besser war als die von Millionen anderer Leute auf der Welt. Sie wusste, dass wir zwar Jesus bitten können, Opa eine Botschaft zu überbringen, aber dass wir nicht zu Opa beten, dass er Jesus eine Botschaft bringt.

Wir müssen jedoch davor warnen zu meinen, dass diejenigen, die im Himmel sind, mit uns in Kontakt treten könnten. Im ersten Kapitel habe ich betont, dass die Bibel streng jeden Versuch verurteilt, mit den Toten in Kontakt zu kommen. Wir müssen uns damit zufrieden geben, dass sie sicherlich mehr wissen als wir und dass wir eines Tages bei ihnen sein werden. Gott hat uns in der Bibel alles mitgeteilt, was wir für dieses Leben wissen müssen. Wir müssen unsere Lieben seiner liebenden Fürsorge im zukünftigen Leben anbefehlen.

Wenn diejenigen, die im Himmel sind, mit uns reden könnten, was würden sie sagen? Sie würden uns drängen, treuer zu glauben, und uns sagen, dass wir, wenn wir nur wüssten, wie großzügig Gott ist, alles tun würden, um ihm zu gefallen. *„Denn ich denke, dass die Leiden der jetzigen Zeit nicht ins Gewicht fallen gegenüber der zukünftigen Herrlichkeit, die an uns offenbart werden soll"* (Röm 8,18). Sie würden uns auffordern, auf der Erde mit unseren Gedanken im Himmel zu leben.

DIE PERSÖNLICHEN GEFÜHLE BLEIBEN ERHALTEN

Denken Sie sich unsere reinste Freude auf der Erde und multiplizieren Sie diese mit einem hohen Faktor – und sie können einen kleinen Eindruck von der himmlischen Freude erhalten. Sogar im Alten Testament wusste David schon genug, um zu schreiben: *„Fülle von Freuden ist vor deinem Angesicht, Lieblichkeiten in deiner Rechten immerdar"* (Ps 16,11). Der Himmel ist die Vervollkommnung der schönsten Augenblicke unserer jetzigen geistlichen Erfahrung.

Wie steht es mit dem Leid? Ja, wir werden auch dort leiden, bis Gott *„jede Träne von ihren Augen abwischen"* wird (Offb 7,17; 21,4). Wenn wir an die Gelegenheiten denken, die wir nicht wahrgenommen haben, wenn uns klar wird, wie unvollkommen wir Jesus auf Erden geliebt haben, dann werden wir trauern. Solches Leid wird vergehen, doch in diesem Augenblick wird die Erkenntnis dessen dämmern, was hätte sein können.

Wenn wir noch immer bezweifeln, ob die jenseitigen Geister dieselben Gefühle wie wir haben, dann lassen Sie uns diese Worte lesen:

> *Und als es das fünfte Siegel öffnete, sah ich unter dem Altar die Seelen derer, die geschlachtet worden waren um des Wortes Gottes und um des Zeugnisses willen, das sie hatten. Und sie riefen mit lauter Stimme und sprachen: Bis wann, heiliger und wahrhaftiger Herrscher, richtest und rächst du nicht unser Blut an denen, die auf der Erde wohnen? (Offb 6,9-10)*

Wissen, Liebe, Gefühle, Verlangen nach Gerechtigkeit – all das gehört zum Leben derer, die vor uns in den Himmel gekommen sind. Denken Sie daran, dass die gesamte Persönlichkeit mit in das Leben nach dem Tod hinübergenommen wird. Der Himmel unterscheidet sich sicher vom jetzigen Leben, doch er ist von Ihren Freunden bevölkert, die noch immer Persönlichkeiten sind, die einmal auf der Erde gewohnt haben. Und es sind noch immer Ihre Freunde!

DIE PERSÖNLICHE AKTIVITÄT WIRD FORTGEFÜHRT

Ja, wir werden im Himmel ruhen, aber das ist nicht die Ruhe des Nichtstuns. Wir werden möglicherweise vieles von dem tun, was wir schon von der Erde her kennen. Künstler könnten unvergleichliche Werke schaffen, der Wissenschaftler mag eingeladen werden, seine Erforschung der wunderbaren Schöpfung Gottes fortzuführen. Die Musiker können musizieren, und wir alle werden immer weiter lernen.

Wir sind, schreibt Maclaren, hier wie Schößlinge, doch wir werden in den himmlischen Acker verpflanzt, um in Gottes Licht zu wachsen. Hier auf Erden blühen unsere Fähigkeiten, dort werden sie förmlich mit noch schöneren Früchten geradezu explodieren. Unser Tod ist nur der Übergang von einer Ebene zu einer anderen des liebevollen Dienstes füreinander. Der Unterschied ist etwa so wie der zwischen einem Ungeborenen und einem, der die Erfahrungen eines neuen Lebens begonnen hat. Unsere Liebe zu Gott wird bestehen bleiben, doch sie wird reiner und intensiver werden.

Der berühmte puritanische Schriftsteller Jonathan Edwards glaubte, dass die Gläubigen im Himmel zunächst damit beginnen, über Gottes Fürsorge für seine Gemeinde auf Erden nachzudenken, sich aber dann mit anderen Aspekten des göttlichen Plans beschäftigen, damit sich die „Einsichten der Heiligen bis in Ewigkeit vermehren würden“.

Das „wirkliche Ich“ wird dort anwesend sein.

DER ZWISCHENZUSTAND

Eine Frage beschäftigt uns weiterhin: Welche Art von Körper haben die Heiligen jetzt im Himmel? Weil sie den endgültigen Auferstehungskörper erst in Zukunft erhalten, wie existieren nun die Heiligen zu der Zeit, während Sie dieses Buch lesen?

Wenn die Auferstehung des Körpers noch in der Zukunft liegt, sind die gegenwärtigen Heiligen im Himmel dann körperlose Geister? Oder haben sie eine Art zeitweiligen „Zwischenkörper“, den sie am Tag der Auferstehung wieder ablegen, an dem Tag, an dem sie ihren endgültigen, verherrlichten Körper empfangen?

Die Meinungen scheiden sich an den Worten des Paulus in 2. Korinther 5,1: *„Denn wir wissen, dass, wenn unser irdisches Zelthaus zerstört wird, wir einen Bau von Gott haben, ein nicht mit Händen gemachtes, ewiges Haus in den Himmeln.“* Die Frage lautet: Auf welchen Zeitraum der Zukunft bezieht sich Paulus hier, wenn er davon spricht, dass wir „einen Bau von Gott haben“, ein „ewiges Haus in den Himmeln“? Bekommen wir dieses Haus (einen Leib) schon direkt nach dem Tod, oder empfangen wir ihn erst bei der zukünftigen Auferstehung? Paulus schreckt vor der Vorstellung zurück, dass seine Seele eine Zeit des Nacktseins überstehen müsste, eine Zeit, in der sie ohne Körper auskommen müsste.

Eine Erklärung lautet, dass Gott einen Körper für diese Gläubigen erschafft. Dadurch können wir verstehen, wie die Erlösten im Himmel eine Beziehung zu Christus und den anderen Menschen dort aufbauen können. Weil entschlafene Gläubige Gott mit Liedern preisen und miteinander kommunizieren können, scheint es, dass sie einen Körper haben müssen, um dies zu tun. Weiter ist zu beachten, dass manche Menschen am Punkt zwischen Leben und Tod bezeugt haben, ihre verstorbenen Verwandten zu sehen, wie sie auf ihre Ankunft warteten. Das weist darauf hin, dass die Heiligen im Himmel schon einen erkennbaren Körper haben.

Auf dem Berg der Verklärung erschienen Mose und Elia in einer Art Körper, obwohl keiner von beiden bis jetzt seinen endgültigen Auferstehungskörper hat. Zugegebenermaßen wurde Elia in den Himmel geholt, ohne sterben zu müssen, und Mose wurde von Gott auf dem Berg Nebo begraben, aber sie warten wie wir auf die Auferstehung. Dennoch waren sie da, sprachen und waren für Petrus, Jakobus und Johannes sichtbar.

Der Reiche, der starb und in den Hades kam, musste einen Körper haben, weil er in der Lage war, menschlich zu sprechen, und wollte, dass jemand seine Zunge kühlte. Er hatte Augen zu sehen und Ohren zu hören. Sein Körper, wie immer geartet, war schmerzempfindlich und für Lazarus erkennbar, der sich auf der anderen Seite des tiefen Abgrunds befand. Normalerweise meinen wir, dass Geister nicht in der Lage sind, solches zu fühlen.

Doch müssen wir uns auch fragen: Wenn die Heiligen im Himmel schon Körper haben, wenn auch vorläufige, warum betont Paulus dann in seinen Schriften so stark die Auferstehung? Er legt deutlich nahe, dass die Heiligen, die jetzt im Himmel sind, sich in einem unvollkommenen und unnatürlichen Zustand befinden.

So könnte eine zweite Erklärung lauten, dass die Seelen der Toten in einigen Beziehungen Körperfunktionen haben. Wenn das der Fall ist, dann würde es erklären, warum sie miteinander reden können und im Himmel auch sichtbar sind. Diese Fähigkeiten der Seele werden in Offenbarung 6,9-10 vorausgesetzt, wie wir schon weiter oben zitiert haben. Die Seelen unter dem

Altar hatten eine Stimme, mit der sie zu Gott schreien konnten. Darüber hinaus bekamen diese Seelen sogar weiße Kleider, die sie tragen sollten, während sie auf Gottes Rache warteten.

Zugegebenermaßen hat das Wort *psychas* (übersetzt mit „Seelen“) eine große Bedeutungsvielfalt und kann auch mit „Leben“ oder „Personen“ übersetzt werden. Doch das Wort wird oft mit Seele übersetzt, und zwar im Gegensatz zum Körper. Wenn Johannes das meinte, dann würde das die Ansicht unterstützen, dass Seelen eine Gestalt und körperliche Eigenschaften annehmen können. Wenn uns das seltsam erscheint, kann das gut daran liegen, dass unsere Vorstellung bezüglich der Seele zu begrenzt ist.

Wir können nicht sicher sein, welche dieser Ansichten die richtige ist. Aber eines ist sicher: *Gläubige kommen direkt nach dem Tod in die Gegenwart Christi. Sie sind bei Bewusstsein und können alle ihre Fähigkeiten benutzen.* Wie D. L. Moody vor seinem Tod sagte: „Schon bald werden Sie in der Zeitung lesen können, dass Moody tot ist. … Glauben Sie das nicht, denn ich werde in einem Augenblick lebendiger sein als je zuvor.“

Wir müssen nicht genau wissen, welche Art von Körper wir haben werden, um uns sicher zu sein, dass wir als Persönlichkeit weiterbestehen werden. Wir werden dieselben Menschen bleiben, die wir auch schon auf Erden waren, mit denselben Gedanken, Gefühlen und Wünschen. Obwohl wir nicht mehr gegen die Sünde ankämpfen, werden wir uns bewusst sein, wer wir wirklich sind. Wir werden keinen Zweifel darüber haben, dass wir Menschen sind, die ohne Zwischenstation von einem Ort an einen anderen gelangt sind.

Und doch werden wir auch auf die endgültige Auferstehung warten.

DER AUFERSTEHUNGSKÖRPER

Die Lehre des Neuen Testaments über die Auferstehung ist eine Bestätigung, dass wir eine körperliche und geistliche Einheit bilden und dass Gott uns wieder vollständig machen will. Obwohl die Seele vom Körper trennbar ist, wird die Trennung nur vorläufig sein. Wenn wir ewig leben sollen, dann müssen wir als vereinigtes Lebewesen wieder zusammengefügt werden: Körper, Seele und Geist.

Einige Christen nehmen an, dass Gott für uns neue, bleibende Körper aus dem Nichts schaffen wird. Aber wenn das so wäre, dann wäre die Lehre von der körperlichen Auferstehung überflüssig. In 1. Korinther 15 vergleicht Paulus unseren jetzigen Körper mit dem zukünftigen in viererlei Hinsicht: *„So ist auch die Auferstehung der Toten. Es wird gesät in Vergänglichkeit, es wird auferweckt in Unvergänglichkeit. Es wird gesät in Unehre, es wird auferweckt in Herrlichkeit; es wird gesät in Schwachheit, es wird auferweckt in Kraft; es wird gesät ein natürlicher Leib, es wird auferweckt ein geistlicher Leib"* (1Kor 15,42-44).

Erstens wird gesät in Vergänglichkeit, es wird auferweckt in Unvergänglichkeit. Wie ein Samen, der in die Erde gesät wird, gibt es eine Kontinuität zwischen der Eichel und dem Baum, zwischen dem Samen und dem Kraut. Nicht jedes Teil, das jemals Teil von dir war, muss auferweckt werden, und Gott könnte natürlich zusätzliches Material hinzufügen, um die Mängel auszugleichen.

Im Himmel wird niemand eine Bemerkung über Ihr Alter machen oder merken, dass Sie in die Jahre kommen. In einer Milliarde Jahren werden Sie noch immer so jung aussehen wie in tausend Jahren. Dr. Hinson schrieb:

Die Sterne werden Millionen von Jahren bestehen,
eine Million und einen Tag.
Doch Gott und ich werden noch leben und lieben,
wenn die Sterne schon vergangen sind.

Zweitens wird gesät in Unehre, es wird auferweckt in Herrlichkeit. Wenn ein Leichnam in ein Trauerhaus gebracht wird, wird er immer mit einem Tuch bedeckt, um neugierige Augen vor dem Schrecken zu bewahren, einen Leichnam zu betrachten. Jeder Tote ist eine Erinnerung an unsere Unehre, daran, dass wir alle verletzlich sind. Doch wir werden in Herrlichkeit auferweckt werden.

Drittens wird gesät in Schwachheit, es wird auferweckt in Kraft. Der Auferstehungskörper untersteht nicht den Gesetzen der Materie. Erinnern Sie sich daran, wie Jesus nach seiner Auferstehung durch geschlossene Türen treten konnte. Behalten wir im Gedächtnis, dass der Engel den Stein nicht deshalb vom Grab wegrollte, um Jesus hinauszulassen, sondern um die Jünger hereinzulassen!

Und schließlich wird gesät ein natürlicher Leib, es wird auferweckt ein geistlicher Leib. Wenn hier gesagt wird, dass wir einen geistlichen Körper haben, bedeutet das nicht, dass wir einfach nur Geister sein werden. Der verherrlichte Körper Jesu war so menschlich, dass er die Jünger aufforderte, ihn anzufassen. Er forderte sie auf: *„Seht meine Hände und meine Füße, dass ich es selbst bin; betastet mich und seht! Denn ein Geist hat nicht Fleisch und Bein, wie ihr seht, dass ich habe“* (Lk 24,39).

Es wird eine Kontinuität mit Unterschieden bestehen. Unser zukünftiger Körper wird sein wie der Auferstehungskörper Christi. *„Wir wissen, dass wir, wenn es offenbar werden wird, ihm gleich sein werden, denn wir* *werden ihn sehen, wie er ist"* (1Jo 3,2). Denken Sie einmal darüber nach, was das bedeutet.

Die Bezüge zwischen Jesu irdischem und seinem himmlischen Körper waren deutlich zu erkennen – z. B. waren da die Wundmale in seinen Händen. Die Jünger erkannten ihn sofort, und er aß mit ihnen sogar Fisch am Ufer des Sees. Doch gab es auch radikale Veränderungen. So konnte er ohne körperliche Anstrengung von einem Ort zum anderen gelangen und durch Türen eintreten, ohne sie zu öffnen.

Offensichtlich werden auch wir in der Lage sein, ohne Mühe zu reisen. Genauso wie Jesus in Galiläa sein konnte, um dann plötzlich in Judäa zu erscheinen, so werden auch wir von den Beschränkungen irdischen Reisens befreit sein. Das bedeutet natürlich nicht, dass wir wie Gott allgegenwärtig sind, denn wir werden darauf beschränkt sein, uns immer nur an einem Ort gleichzeitig aufzuhalten. Doch wir werden uns mühelos zwischen verschiedenen Orten bewegen können.

Und doch werden wir zur Freude vieler Leute noch immer essen, nicht weil wir hungrig sind, sondern um der Gemeinschaft willen, die wir dabei erleben. Nach der Auferstehung aß Jesus mit seinen Jüngern am Ufer des Sees Fisch. Und natürlich werden die Gläubigen beim Hochzeitsmahl des Lammes anwesend sein (Offb 19,7).

DER TOD VON KINDERN

Gerade diese Woche habe ich mit einem Freund von mir am Telefon gesprochen, der ein Kind verloren hat. Die kleine Grace Elisabeth verstarb, als sie einen Tag alt war. Wenn zwischen dem irdischen und dem himmlischen

Körper eine Kontinuität besteht, wird sie dann für immer ein Säugling bleiben?

Kürzlich erwarteten meine Frau und ich eifrig, Großeltern zu werden, doch Gott hatte andere Pläne. Unsere Enkelin, Sarah, wurde tot geboren. Wir haben zusammen mit unserer Tochter und unserem Schwiegersohn gerungen und uns gefragt, was Gott mit unserer Enttäuschung und unserer Trauer bewirken wollte.

Ja, ich glaube, dass unsere liebe Sarah im Himmel ist, doch wir müssen uns darüber klar werden, warum wir glauben, dass sie und andere Kinder dorthin kommen. Entgegen der allgemeinen Auffassung kommen Kinder nicht in den Himmel, weil sie etwa unschuldig wären. Paulus lehrte eindeutig, dass Kinder unter dem Urteil über die Sünde Adams geboren werden (Röm 5,12). Gerade weil sie von Geburt an Sünder sind, müssen sie überhaupt sterben.

Auch sollten wir nicht zwischen Kindern unterscheiden, die getauft sind, und solchen, die es nicht sind, als ob eine solche Zeremonie jemanden zu einem Kind Gottes machen könnte. Die Idee der Kindertaufe stammt aus Nordafrika und wurde erst viele Jahre nach der Entstehung des Neuen Testaments aufgebracht. Selbst wenn die Kindertaufe theologisch begründbar wäre, etwa, weil sie ein Zeichen des Bundes sei (was sehr fraglich ist), gibt es keinen Hinweis darauf, dass sie Kindern die Gabe des ewigen Lebens schenken kann.

Wenn Kinder gerettet sind (und ich bin der festen Überzeugung, dass das der Fall ist), dann nur deshalb, weil Gott ihre Sünde Jesus zurechnet, und weil sie zu klein sind zu glauben, wird die Anforderung des persönlichen Glaubens an sie nicht gestellt. Wir wissen natürlich nicht, von welchem Alter an Gott die Kinder für verantwortlich hält. Es ist unmöglich, hier ein Alter vorzuschlagen, weil das ganz unterschiedlich sein kann und sehr von der geistigen und geistlichen Entwicklung des Kindes abhängt.

Es gibt beeindruckende Beweise dafür, dass Kinder, die sterben, beim Herrn sind. David verlor zwei Söhne, um die er sehr trauerte. Um Absalom, seinen abtrünnigen Sohn, weinte David sehr und wollte sich nicht trösten lassen, denn er war sich nicht sicher, welches Schicksal ihn nach dem Tode ereilt hatte. Aber als das Kind der Bathseba starb, wusch er sich, salbte sich und ging ins Haus des Herrn, um anzubeten. Denjenigen, die ihn wegen seines Verhaltens zur Rede stellten, gab er folgende Antwort: *„Jetzt aber, da es tot ist, wozu sollte ich denn fasten? Kann ich es etwa noch zurückbringen? Ich gehe einmal zu ihm, aber es wird nicht zu mir zurückkehren“* (2Sam 12,23).

Jesus war der Meinung, dass Kinder Gott und dem Himmelreich sehr nahe stehen. *„Seht zu, dass ihr nicht eines dieser Kleinen verachtet! Denn ich sage euch, dass ihre Engel in den Himmeln allezeit das Angesicht meines Vaters schauen, der in den Himmeln ist“* (Mt 18,10). Kinder stehen dem Herzen Gottes besonders nahe.

Wird ein Säugling im Himmel immer ein Säugling sein? James Vernon McGee hat den interessanten Vorschlag gemacht, dass Gott die Säuglinge so auferwecken wird, wie sie gestorben sind, und dass die Arme der Mütter, die sich nach ihnen gesehnt haben, die Möglichkeit haben, die Kleinen zu halten. Der Vater, der dieses Kleine nie an die Hand nehmen konnte, darf es dann nachholen. So werden diese Kinder mit ihren Eltern groß werden.

Ob das wirklich so sein wird, wissen wir nicht. Aber man kann sicher Folgendes sagen: Ein Kind im Himmel wird ganz vollständig sein. Entweder wird das Kind im Himmel so aussehen, als ob es erwachsen geworden wäre, oder aber seine geistigen und leiblichen Fähigkeiten werden mit der Zeit vergrößert, sodass es seinen Platz unter den Erlösten ohne Nachteile einnehmen kann. Der Himmel ist kein Ort für Bürger zweiter Klasse, und alle Beeinträchtigungen werden genommen. Der Himmel ist ein Ort der Vollkommenheit.

Der Tod eines Kindes kostet jedoch immer sehr viel Ringen mit dem Willen Gottes. Es scheint uns unverständlich, dass Gott das Geschenk des Lebens gibt und es dann verlöschen lässt, ehe es zur vollen Brauchbarkeit gelangen konnte. Doch wir können uns sicher sein, dass auch ein solches Leben eine Aufgabe erfüllt hat, auch wenn wir das nicht unmittelbar einsehen können.

James Vernon McGee sagt, dass ein Hirte, der seine Schafe auf eine bessere Weide führen möchte, dazu aber gewundene, dornige Pfade mit ihnen gehen muss, die Schafe oft unwillig findet, ihm zu gehorchen. Sie fürchten die unbekannten Tiefen und die scharfen Felsen. Der Hirte wird dann ein oder zwei Lämmer aus der Herde in seine Arme nehmen und dann den gewünschten Pfad vorangehen. Ganz schnell folgen die Mutterschafe, bald darauf die ganze Herde. So gehen sie den schwierigen Pfad zu einer grüneren Weide.

Genauso macht es der Gute Hirte. Manchmal holt er ein Lamm aus der Herde zu sich. Er benutzt diese Erfahrung, um sein Volk zu führen, um sie zu neuen Höhen der Hingabe zu bewegen, wenn sie dem kleinen Lamm den gesamten Weg nach Hause folgen.

Ein kleines Mädchen starb in einem Hotel, wo sie mit ihrem Vater wohnte. Weil die Mutter schon tot war, folgten dem Sarg nur zwei Menschen – der Vater und der Pastor. Der Mann weinte haltlos, als er den Schlüssel nahm, den Sarg aufschloss und ein letztes Mal das Gesicht seines Kindes betrachtete. Dann schloss er den Sarg und gab den Schlüssel dem Friedhofswärter.

Auf dem Weg zurück zitierte der Pastor Offenbarung 1,17 und 18 und sprach damit dem Trauernden Trost zu: *„Fürchte dich nicht! Ich bin der Erste und der Letzte und der Lebendige, und ich war tot, und siehe, ich bin lebendig von Ewigkeit zu Ewigkeit und habe die Schlüssel des Todes und des Hades."*

„Sie meinen, Sie haben den Schlüssel zum Sarg Ihrer kleinen Tochter dem Friedhofswärter gegeben", sagte der Pastor. „Aber der Schlüssel ist in der Hand des Sohnes Gottes, der eines Morgens kommen und ihn benutzen wird."

Bob Neudorf schrieb „An Mein Kind":

Ist es richtig, um ein Kind zu trauern,
zu klein für einen Sarg?
Ich denke, ja.
Hält Jesus mein „zu kleines Kind"
in seinen liebenden Armen?
Ich denke, ja.
Es gibt so viel, was ich nicht weiß
über dich – mein Kind –
Er oder Sie? Ruhig oder lebendig?
Werde ich jemanden erkennen können,
von dem ich so wenig weiß?
Ich denke, ja.
Mein liebes, kleines Kind,
darf ich sagen, dass dich zu lieben
so ist, wie Gott zu lieben?
Lieben – und doch nicht sehen,
festhalten – und doch nicht berühren,

liebkosen – und doch getrennt
durch den Abgrund der Zeit.
Kein Grabstein zeigt, wo du liegst,
und nur Gott allein kennt deinen Namen.
Die Freudenfeier ist jedoch nicht abgesagt,
nur verschoben, nur verschoben.
Und doch bleibt eine Träne da,
wo mein Kind hätte sein sollen.

(Aus: The Alliance Witness, 16.9.1987, S. 14. Abgedruckt mit freundlicher Erlaubnis.)

Als Peter Marshall mit einem Krankenwagen in ein Krankenhaus in Washington gebracht wurde, sagte Catherine, seine Frau, später, dass sie in diesem Augenblick erkannt habe, dass „das Leben nicht in Dauer besteht, sondern in Hingabe."

Es geht nicht darum, wie lange du lebst, sondern es zählt, was du beigetragen hast. Und ja, auch diese Kleinen haben schon etwas beigetragen – sie haben die Herzen ihrer Lieben für die Erkenntnis geöffnet, dass wir alle einmal heimgehen werden.

UNSER FEIND, UNSER FREUND

Warum ist der Tod solch ein Segen? Paulus sagte: *„Fleisch und Blut können das Reich Gottes nicht erben"* (1Kor 15,50). Es ist eine Tatsache, dass weder Sie noch ich so in den Himmel kommen können, wie wir jetzt sind. Ganz gleich, wie gut wir uns vorbereiten, ganz gleich, wie sorgfältig wir uns waschen und kleiden – wir sind für den Himmel nicht geeignet. In einer ewigen Wohnung kann kein vergänglicher Körper wohnen.

Der Tod rettet uns davor, dass unsere jetzige Existenz immer weitergeht. Er ist das Werkzeug, das diejenigen, die Gott lieben, zu ihm bringt. Paulus machte sich keine Illusionen darüber, dass die Erde etwa besser sei als der Himmel. Er sehnte sich danach, abzuscheiden und bei Christus zu sein, was „viel besser“ ist. Sogar unsere heroischen Versuche, mit künstlichen Lungen und anderen Geräten noch einen Tag mehr herauszuschinden, würden überflüssig erscheinen, wenn wir nur sehen könnten, was uns erwartet.

Nur auf dieser Seite des Vorhangs ist der Tod unser Feind. Hinter dem Vorhang erweist sich das Ungeheuer als unser Freund. Das Schild „Tod“ steht noch immer auf der Flasche, doch der Inhalt ist das „ewige Leben.“ Der Tod ist unser Freund, weil er uns daran erinnert, dass der Himmel nahe ist. Wie nahe? So nahe wie ein Herzschlag, wie ein Autounfall, wie eine versprengte Kugel oder ein Flugzeugabsturz. Wenn unsere Augen die Geisterwelt sehen könnten, dann würden wir vielleicht erkennen, dass wir schon an ihren Toren stehen.

Judson B. Palmer erzählt die Geschichte von Pastor A. D. Sandborn, der sein Vorgänger in einer Kirche in Iowa war. Pastor Sandborn besuchte eine junge Christin, die schwer krank war. Sie lag auf vielen Kissen im Bett und sah in die Ferne. Sie flüsterte: „Wenn sie mir nun das Tor öffnen, werde ich hindurchgehen.“

Dann sank sie enttäuscht in ihre Kissen: „Sie haben Mamie vor mir hinein gelassen, aber bald werde auch ich gehen.“

Einige Augenblicke später sprach sie: „Sie haben Opa vor mir hineingelassen, aber beim nächsten Mal werde ich ganz sicher hineinkommen.“

Niemand sprach mit ihr, und sie sagte auch nichts mehr und schien nichts mehr zu sehen außer dem

Anblick der geliebten Stadt. Pastor Sandborn verließ das Haus nach einiger Zeit, weil er noch andere Pflichten hatten.

Später am Tag erfuhr der Pastor, dass die junge Frau an diesem Morgen gestorben war. Er war so beeindruckt von dem, was sie gesagt hatte, dass er die Familie nach Mamie und Opa fragte, um herauszufinden, wer das gewesen sei. Mamie war ein kleines Mädchen, das einige Zeit in der Nachbarschaft gewohnt hatte und später in den Staat New York gezogen war. Und Opa war ein Freund der Familie und war irgendwo in den Südwesten der Vereinigten Staaten gezogen.

Pastor Sandborn schrieb an die beiden Adressen, die man ihm gab, um nach beiden zu fragen. Sehr zu seinem Erstaunen waren sowohl Mamie als auch Opa an dem Morgen des 16. Septembers gestorben, in der gleichen Stunde, als auch die junge Frau selbst in die Ewigkeit gegangen ist.

Der Tod ist nicht das *Ende* des Weges, er ist nur eine *Biegung*. Der Weg folgt nur den Pfaden, die Jesus selbst auch gegangen ist. Dieser Reiseführer erwartet nicht von uns, dass wir den Pfad selbst erkunden. Oft sagen wir, dass Jesus uns am anderen Ufer erwartet. Das stimmt natürlich, doch kann uns diese Vorstellung auch in die Irre führen. Lassen Sie uns nie vergessen, dass er uns auf dieser Seite des Vorhangs begleitet und uns dann durch das Tor hindurchführt. Wir werden ihm dort begegnen, weil wir ihm schon hier begegnet sind.

Das Grab ist nicht der Zutritt zum Tod, sondern zum Leben. Es ist nicht eine leere Grube, sondern die Tür zum Himmel. Wenn wir sterben, dann stirbt nichts in Gott, und seine Treue überdauert alles. Es ist kein Wunder, dass die Heiden voll Erstaunen von den ersten

Christen bezeugten, dass sie ihre Toten wie im Triumph zu Grabe trugen.

Aristides, ein Grieche des ersten Jahrhunderts, wunderte sich über den außerordentlichen Erfolg des Christentums und schrieb an einen Freund: „Wenn ein Gerechter unter den Christen aus dieser Welt geht, dann freuen sie sich und danken Gott, und sie begleiten seinen Leichnam mit Liedern und Danksagung, als hätte er sich auf den Weg an einen nicht allzu entfernten Ort gemacht."

Und so ist es auch. Beim Tod gehen die Gläubigen von einem Ort zum nächsten. Es gibt Grund zur Traurigkeit, aber nicht wie für die, „die keine Hoffnung haben". Solches Vertrauen lässt die Ungläubigen merken, dass Christen anders sterben.

Christus versichert uns: *„Ihr werdet sein, wo ich bin"* (Joh 14,3).

IM NEUEN JERUSALEM

Die Größe der Stadt – Das Baumaterial der Stadt – Unser neuer Beruf – Unsere neue Familie – Die Realität wird neu geordnet

Sie liegen im Krankenhaus und sind von Freunden umgeben, die die letzten zwei Tage auf Zehenspitzen ein- und ausgegangen sind. Der Arzt brauchte nicht zu sagen, dass Ihr Tod bevorsteht, weil Sie es selbst schon wissen. Sie hatten den Mut, mit Ihrer Familie über Ihr Begräbnis zu sprechen, und Sie sind erleichtert, dass Sie alles getan haben, um sich auf diese Stunde vorzubereiten. Ihre Taschen sind gepackt.

Nachdem Sie Ihren letzten Atemzug getan haben werden, wird ein Arzt kommen, um den Tod zu bestätigen. Ihre Familie wird das Zimmer verlassen und ein Tuch wird über Ihren Körper gebreitet, den man in die Kühlkammer fährt. Während Ihre Familie Vorbereitungen für die Beerdigung trifft, sind Sie schon in Ihrer ewigen Wohnung angekommen.

Wir haben schon betont, dass es keinen Bewusstseinsbruch geben wird, wenn wir in den Himmel kommen. Wir werden Jesus Christus begegnen und der Gemeinschaft der Heiligen vorgestellt werden. Diejenigen, die Sie nicht auf Erden kennengelernt haben, sind Ihnen sofort genauso vertraut wie Ihre irdischen Freunde, mit denen Sie oft Essen gegangen sind. Die

Unterhaltung wird sich hauptsächlich um die Schönheit Christi drehen, das Wunder der Liebe Gottes und die unverdiente Gnade, die Sie an solchen Segnungen teilhaben lässt.

Ein kleines Mädchen hatte sich am Abend einige Bilder von Jesus angesehen und träumte daraufhin von ihm. Am nächsten Morgen sagte sie: „Oh, er ist noch hundertmal schöner als auf den Bildern." Sie werden sicherlich zustimmen, wenn Sie ihn in diesem Moment sehen werden, dass er so viel wunderbarer als in unseren schönsten Träumen ist.

Wenn Sie ein wenig Ruhe haben, werden Sie sich Ihre neue Wohnung ansehen. Schließlich werden Sie hier Ihre Ewigkeit zubringen, deshalb ist sie einen Blick wert. Jesus versicherte den Jüngern, dass der Ort, den er bereiten würde, „viele Wohnungen" haben würde. Es sollte Platz für alle Erlösten geben.

Im Buch der Offenbarung findet sich die beste Beschreibung des neuen Jerusalem, das unsere ewige Heimat ist. Johannes schreibt:

> *Und ich sah einen neuen Himmel und eine neue Erde; denn der erste Himmel und die erste Erde waren vergangen, und das Meer ist nicht mehr. Und ich sah die heilige Stadt, das neue Jerusalem, aus dem Himmel von Gott herabkommen, bereitet wie eine für ihren Mann geschmückte Braut. (Offb 21,1-2)*

Diese Stadt ist neu, d. h. von Neuem erschaffen – genauso wie unser Auferstehungskörper aus dem irdischen Körper neu geschaffen wird. Der Himmel, der vorher existiert hat (d. h. die Atmosphäre), und die von Sünde verdorbene Erde werden dem Feuer übergeben, um für eine neue Schöpfungsordnung Platz zu machen

(2Petr 3,7-13). Diese neue Stadt kommt aus dem Himmel, weil sie Teil des himmlischen Reiches ist.

Wir wollen nun einige Eigenschaften dieser schönen ewigen Heimat betrachten.

DIE GRÖẞE DER STADT

Die Gestalt der Stadt ist ein Quader mit 2200 km Seitenlänge: *„Die Stadt war quadratisch angelegt, Länge und Breite waren gleich. Als er die Stadt ausmaß, ergaben sich je 2200 Kilometer in Länge, Breite und Höhe“* (Offb 21,16; NeÜ).

Wenn wir das wörtlich nehmen, dann wird der Himmel etwa 400 000 Stockwerke haben (wenn wir 6 m pro Stockwerk rechnen), von denen jedes einzelne die Hälfte der Fläche der USA besitzt! Wenn wir das in einzelne Wohnungen unterteilen, wird es genug Platz für alle Erlösten seit Anfang der Zeit geben. Die Heiligen des Alten Testaments – Abraham, Isaak und Jakob – werden dort wohnen. Dann denken wir an die Apostel des Neuen Testaments und alle Erretteten aus den 2000 Jahren unserer Kirchengeschichte – der Himmel wird für alle diese Menschen Platz haben. Unglücklicherweise wird sich die Mehrheit der Weltbevölkerung dort wahrscheinlich nicht wiederfinden. Jesus erklärte einmal, dass der Himmel ein besonderer Ort für besondere Leute ist.

Sie brauchen nicht zu fürchten, dass Sie sich in der Menge verlieren werden. Auch brauchen Sie keine Angst zu haben, im tausendsten Stockwerk festzuhängen, wenn sich alle gerade im untersten versammeln wollen. Sie werden sich nur entscheiden müssen,wohin Sie gehen wollen, und schon sind Sie da! Jeder Einwohner wird die für sich notwendige Aufmerksamkeit erfahren. Der Gute Hirte, der alle seine Schafe mit Namen kennt, wird für jedes seiner Lämmer eine besondere Wohnung vorbereitet haben. Wie jemand einmal gesagt hat, wird uns dort eine Krone erwarten, die niemand anderem passt, und eine Wohnung, die außer uns niemand betreten kann.

DAS BAUMATERIAL DER STADT

Man kann die Einzelheiten zwar niederschreiben, aber vorstellen kann man sich das nicht. In seinem Buch *Pilgrim's Progress* beschreibt John Bunyan, wie Christ und Hoffnung schließlich die Stadt Gottes sahen und dass sie so schön war, dass sie vor Glück ganz krank wurden und ausriefen: *„Wenn ihr meinen Liebsten findet, was sollt ihr ihm sagen? Dass ich krank bin vor Liebe"* (Hl 5,8; NeÜ). Die Stadt war so wunderbar, dass sie sie nicht direkt ansehen konnten, sondern ein besonderes Instrument dazu benutzten. Schließlich handelte es sich um den Wohnort Gottes.

Johannes schreibt in der Offenbarung, dass die Stadt die Herrlichkeit Gottes besitzt. *„Ihr Lichtglanz war gleich einem sehr kostbaren Edelstein, wie ein kristallheller Jaspisstein"* (Offb 21,11). Es ist interessant, dass die Stadt einige der Eigenschaften mit dem irdischen Jerusalem gemeinsam hat, doch die Unterschiede sind weitaus eindrücklicher. Das neue Jerusalem ist eine Stadt von unvorstellbarer Schönheit und wunderbarem Glanz.

Als erstes umgibt die Stadt eine Stadtmauer mit zwölf Grundsteinen. *„Und die Mauer der Stadt hatte zwölf Grundsteine und auf ihnen zwölf Namen der zwölf Apostel des Lammes"* (21,14).

Jeder der Grundsteine, auf denen die Mauer aufgebaut ist, ist mit einem anderen Edelstein verziert, die in den Versen 19-20 aufgezählt werden. Die Edelsteine entsprechen in etwa denen auf der Brusttasche des Hohen Priesters.

Die Höhe der Mauer wird mit etwa siebzig Metern angegeben, nicht sehr hoch im Vergleich zur Größe der Stadt, jedoch hoch genug, um Sicherheit zu geben und sicherzustellen, dass sie nur durch die richtigen Eingänge betreten werden kann.

Als Nächstes sehen wir die zwölf Tore, von denen jedes aus einer einzigen Perle besteht (Offb 21,12-21). Das ist eine Erinnerung daran, dass der Zutritt zur Stadt beschränkt ist. Nur diejenigen, die hineingehören, dürfen sie betreten, denn *„alles Unreine wird nicht in sie hineinkommen, noch derjenige, der Greuel und Lüge tut, sondern nur die, welche geschrieben sind im Buch des Lebens des Lammes“* (V. 27).

Johannes beschreibt weiter diejenigen, die außerhalb der Stadtmauer leben: *„Draußen sind die Hunde und die Zauberer und die Unzüchtigen und die Mörder und die Götzendiener und jeder, der die Lüge liebt und tut“* (22,15). Es gibt einen Engel als Wächter an jedem Tor, offensichtlich um sicherzustellen, dass nur diejenigen Zugang erhalten, deren Namen in dem Buch aufgeschrieben sind.

Die zwölf Tore werden in vier Gruppen eingeteilt, sodass jeweils drei Tore in eine Richtung weisen. *„Nach Osten drei Tore und nach Norden drei Tore und nach Süden drei Tore und nach Westen drei Tore“* (21,13). Das ist eine Erinnerung daran, dass das Evangelium für alle Menschen da ist und dass jeder Stamm unter den Erlösten vertreten ist.

Man beachte, dass hier sowohl die Heiligen des Alten Testaments als auch die des Neuen aufgezählt werden.

Die Namen der zwölf Stämme Israels stehen auf den Toren der Stadt, und die Namen der neutestamentlichen Apostel sind auf ihren Grundsteinen eingegraben. So wird die Einheit des Volkes Gottes durch alle Zeitalter hindurch verdeutlicht.

Die Straßen der Stadt bestehen aus *„reinem Gold, wie durchsichtiges Glas“* (V. 21). Die Stadt wird von der Herrlichkeit Gottes erleuchtet, und das Lamm ist ihre Lampe. Wir können nun besser verstehen, warum Bunyan schrieb, dass seine Pilger die Stadt durch ein besonderes Instrument betrachten mussten. Ihre Schönheit ist einfach zu groß, als dass wir sie fassen könnten. Wir brauchen einen verherrlichten Leib und Geist, um sie ohne Einschränkung bewundern zu können.

Als Jesus sagte, dass er uns eine Stätte mit vielen Wohnungen vorbereitet, meinte er damit nicht, wie einige Ausleger glauben, dass er zum Bauen viel Zeit brauchen würde. Gott kann das himmlische Jerusalem in einem einzigen Augenblick erschaffen. Doch Jesus wollte betonen, dass wir bei ihm sein und wissen werden, dass seine Gegenwart noch wunderbarer sein wird als unsere neue Umgebung.

UNSER NEUER BERUF

Es ist einmal geschätzt worden, dass es in den Vereinigten Staaten mindestens vierzigtausend verschiedene Berufe gibt. Trotz allem ist jedoch nur ein kleiner Prozentsatz der Bevölkerung vollständig mit seinen Verpflichtungen zufrieden. Personalprobleme, schlechte Bezahlung und ermüdende Stunden mit Routinearbeit sind nur einige der Gründe. Nur wenige Menschen, wenn überhaupt, sind wirklich zufrieden.

Doch diese Probleme werden wir im Himmel für immer hinter uns lassen. Jeder Beruf dort wird zwei wichtige Grundaufgaben beinhalten: Erstens werden wir Gott anbeten und zweitens werden wir dem Höchsten dienen, und zwar an der Aufgabe, die uns gegeben wird.

GOTT ANBETEN

Wir wollen nun versuchen, das Vorrecht der Anbetung zu beschreiben.

Der Himmel ist in erster Linie die Wohnung Gottes. Es stimmt natürlich, dass sich Gottes Gegenwart nicht nur auf den Himmel beschränkt, denn er ist allgegenwärtig. Salomo hat richtig angemerkt: *„Siehe, die Himmel und die Himmel der Himmel können dich nicht fassen; wie viel weniger dieses Haus, das ich gebaut habe!“* (1Kö 8,27).

Und doch ist Gott im Himmel anwesend. Johannes sah ihn auf einem Thron mit vierundzwanzig anderen Thronen, auf denen vierundzwanzig Älteste saßen, die den König anbeteten. *„Und aus dem Thron gehen hervor Blitze und Stimmen und Donner“* (Offb 4,5). Und was geht um den Thron Gottes herum vor? Dort herrscht uneingeschränkte Freude, und Gott wird ganz spontan angebetet!

Wir brauchen es nicht zu sagen, die Heiligen auf Erden sind unvollkommen. Sie leiden unter Streitsucht, Fleischlichkeit und lehrmäßigen Abweichungen. Lesen Sie ein Buch über Kirchengeschichte, und Sie werden sich wundern, wie die Kirche die letzten zweitausend Jahre überlebt hat.

Haben Sie sich je gefragt, wie es sein würde, zu einer vollkommenen Gemeinde zu gehören? Genau das sah Johannes, als ihm der Blick in den Himmel gewährt wurde. Frei von der Beschränkung des Fleisches und dem

Widerstand Satans singt die Gemeinde Loblieder für Jesus, ohne dabei irgendwelche Hintergedanken zu hegen.

Wiederholt sieht Johannes, wie im Himmel angebetet wird. Sogar nachdem Gott das Gericht über die unbußfertigen Sünder ausgesprochen hat, singen die Heiligen zusammen mit anderen Geschöpfen das Lob Gottes:

> *Und eine Stimme kam vom Thron her, die sprach: Lobt unseren Gott, alle seine Knechte, die ihr ihn fürchtet, die Kleinen und die Großen! Und ich hörte etwas wie eine Stimme einer großen Volksmenge und wie ein Rauschen vieler Wasser und wie ein Rollen starker Donner, die sprachen: Halleluja! Denn der Herr, unser Gott, der Allmächtige, hat die Herrschaft angetreten. (Offb 19,5-6)*

Wenn wir uns auf unseren ewigen Aufenthaltsort vorbereiten wollen, dann sollten wir Gott schon hier auf der Erde anbeten. Unsere Ankunft im Himmel wird nur die Fortführung dessen sein, womit wir schon begonnen haben. Lobpreis ist die Sprache des Himmels und der Gläubigen auf Erden.

DIENST FÜR DEN HERRN

Obwohl der Lobpreis so viel Zeit im Himmel in Anspruch nehmen wird, werden wir trotzdem Aufgaben übertragen bekommen, die der Treue entsprechen, die wir hier auf Erde gezeigt haben: *„Und seine Knechte werden ihm dienen, und sie werden sein Angesicht sehen; und sein Name wird an ihren Stirnen sein“* (Offb 22,3-4).

Das Wort „Knecht“ findet sich oft in der Offenbarung, denn es steht für die Fortführung einer Beziehung zu Jesus, die wir jetzt schon haben. Doch das Wort

„dienen“, das hier erscheint, wird im Neuen Testament in erster Linie für den Dienst im Heiligtum oder in der Gemeinde benutzt (Mt 4,10; Lk 2,37; Apg 24,14). Deshalb werden wir Gott in dieser besonderen und engen Beziehung dienen, die nur diejenigen haben, die zum inneren Kreis der Erlösten gehören. David Gregg schreibt, was seiner Meinung nach zu dieser Arbeit gehört:

> *Diese Arbeit wird ohne Sorge, Mühe und Müdigkeit ablaufen, wie der Flügelschlag der sich laut singend aufsteigenden Lerche, wenn sie einen neuen Tag begrüßt und ganz spontan ihren schönen Gesang erschallen lässt. Arbeit wird dort eine Notwendigkeit darstellen, außerdem auch Gehorsam gegen den Herrscherwillen Gottes. Diese Arbeit entspricht unserem Geschmack und unseren Fähigkeiten, und sie ist uns eine Freude. Wenn es dort unterschiedliche Geschmäcker und Fähigkeiten gibt, dann werden auch die Aufgaben dort unterschiedlich sein.*[15]

Welche Verantwortung werden wir haben? Jesus erzählte ein Gleichnis, das lehrt, dass die Treuen die Verantwortung für Städte übertragen bekommen. Die meisten Ausleger sind der Ansicht, dass sich dies im Tausendjährigen Reich verwirklichen wird, wenn wir mit Christus über die Erde herrschen werden. Doch es ist vernünftig anzunehmen, dass zwischen dem irdischen und dem ewigen, himmlischen Reich ein Zusammenhang besteht. Mit anderen Worten, es kann gut sein, dass unsere Treue Folgen bis in die Ewigkeit hinein hat.

Ja, jeder wird im Himmel glücklich und erfüllt sein. Jeder wird irgendwo einen Platz in der Verwaltung dieses riesigen himmlischen Reiches erhalten. Doch wie es im Palast eines irdischen Königs verschiedene

Aufgaben gibt, wird es im Himmel Menschen mit angesehenen und weniger angesehenen Aufgaben geben.

Aber eines ist sicher: Der Himmel ist kein Ort des Nichtstuns oder der Langeweile. Es handelt sich nicht, wie ein Kind in der Sonntagschule meinte, um einen ewigen Anbetungsgottesdienst, in dem wir auf Seite 1 unseres Gesangbuches beginnen, uns bis nach hinten durcharbeiten und dann wieder von vorn anfangen. Gott wird produktive Aufgaben für uns haben. Wir werden unser Wissen über ihn und seine wunderbaren Taten immer mehr vergrößern. Wird uns Jesus nicht den Vater zeigen, sodass wir für immer befriedigt sind? Werden wir dann nicht den Herrn, unseren Gott auf eine Weise lieben lernen, wie es uns auf Erden überhaupt nicht möglich war?

Wir wissen nicht, ob wir, wie manche spekuliert haben, fremde Welten erforschen werden. Andere haben vorgeschlagen, dass wir in der Lage sein werden, viele Projekte fortzuführen, die wir auf Erden begonnen haben. Was auch immer unsere Beschäftigung sein wird, wir können sicher sein, dass unser unendlicher himmlischer Vater unendliche Möglichkeiten für uns hat.

UNSERE NEUE FAMILIE

Wir haben schon erfahren, dass wir im Himmel unsere irdische Familie wiedererkennen werden. Doch wird unsere Familie noch vergrößert. Denken Sie sich das in etwa so: Sie werden alle anderen Heiligen so gut kennen, wie Sie jetzt schon Ihre Familie kennen.

Eines Tages senden Freunde von Jesus ihm die Nachricht, dass seine Mutter und seine Brüder nach ihm suchen würden. Jesus antwortet: *„Wer sind meine Mutter und meine Brüder?"* Und er blickt umher auf die um ihn im Kreis Sitzenden und spricht: *„Siehe, das ist meine Mutter und das sind meine Brüder! Denn wer Gottes Willen tut, der ist mir Bruder und Schwester und meine Mutter“* (Mk 3,33-35).

Denken Sie einmal darüber nach, was das bedeutet. Wir werden Jesus genauso nahestehen, wie wir jetzt jedem unserer Familienmitglieder nahestehen. Und er schämt sich sicher nicht, uns Brüder zu nennen. Wir werden eine größere Familie haben, in der wir uns besser kennen werden als je zuvor auf Erden.

Erzbischof Richard Whatley hat die Freundschaft, die uns im Himmel erwarten wird, ausgezeichnet beschrieben:

> *Ich bin davon überzeugt, dass die Ausweitung und Vervollkommnung der Freundschaft einen großen Teil des zukünftigen Glücks der Heiligen ausmachen wird. ... Der Wunsch, z. B. den Apostel Paulus oder Johannes kennenzulernen, erhebt sich sicherlich im edelsten und reinsten Gemüt. Ich fände es schade, denken zu müssen, dass diese Wünsche absurd oder unverschämt sind oder nicht in Erfüllung gehen könnten. Die größte Freude der Heiligen wird zweifellos sein, dass sie ihren großen und geliebten Herrn selbst kennenlernen können. Doch ich kann nicht anders als zu denken, dass ein großer Teil ihres Glücks darin bestehen wird, auch seine großen Nachfolger gut kennenzulernen und von denen natürlich diese besonders, deren Eigenschaften dem Einzelnen am anziehendsten erscheinen.“*[16]

Stellen Sie sich einmal die Freuden einer solchen Familie vor! Und die Unendlichkeit, die uns zur Verfügung steht, um uns gegenseitig kennenzulernen.

DIE REALITÄT WIRD NEU GEORDNET

Zum Glück wird es im Himmel nicht alles geben. Der Apostel Johannes listet sogar in Offenbarung 7; 21 und 22 viele Dinge auf, die heute zum normalen Leben dazugehören, die es im Himmel *nicht* mehr geben wird.

KEIN MEER (21,1)

In der gesamten Bibel steht das Wort „Meer" für die Nationen der Welt, normalerweise die abtrünnigen Nationen. Himmel bedeutet, dass der Wettbewerb unter den Völkern und die schlimmen Unruhen, die dieser Wettbewerb mit sich bringt, verschwinden werden. Keine gebrochenen Verträge mehr, keine Kriege, keine Skandale.

KEIN TOD (21,4)

Gevatter Tod hat dann seine letzte Reise hinter sich. Heute sehen wir den Tod als einen Dieb, der uns die irdische Existenz nimmt. Eigentlich handelt es sich nur um den letzten Schritt des Verfalls des menschlichen Körpers. Als solcher wird der Tod überall gefürchtet, niemand kann seinem Schrecken entgehen. Sogar Christen, die den Tod in Jesus überwunden haben, können vor seinem schrecklichen Angriff zu zittern anfangen. Doch der Tod wird den Himmel nicht betreten dürfen. Es gibt dort keine Begräbnisse, keine Grabsteine und keine tränenreichen Abschiede mehr.

KEIN LEID (21,4)

Lesen Sie die Zeitung, und sie werden auf jeder Seite Leid finden. Ein Autounfall kostet das Leben eines jungen Vaters, ein Kind wird von einem Verrückten vergewaltigt, eine Flut in Bangladesh tötet zwanzigtausend

Menschen. Niemand kann den Umfang des seelischen Schmerzes ermessen, den die Einwohner dieser Erde in jedem Augenblick erleiden. Im Himmel dagegen werden wir ununterbrochene Freude und Zufriedenheit haben.

KEINE TRÄNEN (7,17; 21,4)

Niemand kann die Eimer an Tränen berechnen, die in dieser schrecklichen Welt jeden Augenblick vergossen werden. Von dem Kind, das um den Tod seiner Mutter klagt, bis hin zur Frau, deren Ehe gescheitert ist – multiplizieren Sie diese Tränen mit einer Million und Sie werden erkennen, dass wir in einer Welt voller Tränen leben.

Im Himmel wird der, der jetzt unsere Sünden abgewaschen hat, unsere Tränen abwischen. Diese Bemerkung hat die Frage erhoben, warum im Himmel überhaupt jemand weinen sollte. Und kommt der Herr buchstäblich mit einem Taschentuch und wischt jede einzelne Träne weg? Das ist möglich. Doch ich denke, dass Johannes noch mehr als das meint. Er möchte, dass wir verstehen, dass Gott uns eine Erklärung für alles Leid gibt, das wir auf Erden erleiden mussten, sodass wir nicht mehr weinen müssen. Wäre das nicht der Fall, könnten die Tränen wiederkommen, nachdem er sie abgewischt hat. Doch in der Lage zu sein, die tränenreichen Ereignisse unseres Lebens in der Perspektive des Himmels zu betrachten, wird unsere Tränen für immer trocknen.

Oft wird die Frage gestellt, wie wir im Himmel glücklich sein können, wenn einer oder mehrere unserer Verwandten in der Hölle sind. Kann etwa ein Kind sich an der Herrlichkeit der Ewigkeit erfreuen, wenn es weiß, dass der Vater oder die Mutter auf ewig von diesem Freudenfest ausgeschlossen sind? Oder kann eine gläubige Mutter freudevoll Gott dienen und ihn anbeten, wenn sie weiß, dass ihr kostbarer Sohn für immer in der Hölle gequält wird? Diese Frage hat den Verstand einiger Theologen so herausgefordert, dass sie der Meinung waren, dass Gott einen Teil unseres Erinnerungsvermögens löschen wird. Angeblich weiß das Kind nicht, dass die Eltern in der Hölle verloren sind, und die Mutter wird nicht mehr wissen, dass sie einen Sohn hatte.

Doch es ist unwahrscheinlich, dass wir im Himmel weniger wissen werden als auf der Erde. Es entspricht nicht Gottes Wesen, ein Problem dadurch zu lösen, dass er die menschliche Unwissenheit erweitert. Das gilt besonders für den Himmel, wo wir höhere geistige Fähigkeiten als auf der Erde haben werden. Im Himmel werden wir getröstet, und zwar nicht, weil wir weniger wissen würden als zu der Zeit, als wir auf der Erde gelebt haben, sondern weil wir mehr wissen.

Es ist eher wahrscheinlich, dass Gott alle Tränen abwischen wird, indem er uns seinen Plan erklärt. Wir werden Himmel und Hölle von seinem Standpunkt aus betrachten und sagen können, dass er alles gut gemacht hat. Wenn Gott zufrieden sein kann, wenn er weiß, dass Ungläubige in der Hölle sind, dann werden wir das auch können. Ich erwarte, dass alle, die im Himmel sind, mit dem Bewusstsein leben werden, dass Gott gerecht gehandelt hat und dass sein Plan der Richtige war. Und mit solch einer Erklärung und Perspektive werden unsere Gefühle in Gottes Willen ruhen. Jonathan Edwards hat gesagt, dass es im Himmel kein Mitleid für die Hölle geben wird, und zwar nicht, weil die Heiligen lieblos wären, sondern weil sie vollkommen lieben. Sie werden alles in Beziehung zu Gottes Liebe, Gerechtigkeit und

Herrlichkeit sehen. Deshalb werden sowohl Herz als auch Kopf Gott ohne Reue, Trauer oder Bedauern über Gottes Plan anbeten können.

KEIN SCHMERZ (21,4)

Kommen Sie mit mir auf einen Spaziergang durch die Flure eines Krankenhauses. Hier stirbt eine junge Mutter an Krebs, dort schnappt ein Mann nach Luft, der versucht, die Schrecken eines Herzinfarkts hinter sich zu bringen. Im nächsten Gang gibt es ein misshandeltes Kind, dass gerade mit Verbrennungen eingeliefert wurde, die der zornige Vater ihm zugefügt hat. Für diese und zahllose andere Notfälle haben die Wissenschaftler Schmerzmittel entwickelt, um es Menschen zu ermöglichen, ihr Leben Tag für Tag ertragen zu können.

Im Himmel wird der Schmerz, der eine Folge der Sünde ist, für immer verbannt sein. Keine Kopfschmerzen, kein Bandscheibenvorfall, keine Operationen. Und niemand wird mehr seelisch leiden müssen, weil er abgelehnt wird, von seinen Lieben getrennt ist oder misshandelt wird.

KEIN TEMPEL (21,22)

Für einige ist diese Aussage ein Rätsel, denn an anderer Stelle sagt Johannes, dass es im Himmel einen Tempel geben wird (Offb 11,19). Wilbur M. Smith weist darauf hin, dass der scheinbare Widerspruch sich auflöst, wenn wir erkennen, dass der Tempel mit seinen Engelboten „bis zu der Zeit weiterbesteht, wenn die Sünde des Menschen offenbar wird und Gott seinen Zorn über die Erde ausgießt. Doch wenn die alte Erde verschwunden ist, dann hat der Tempel keine Funktion mehr.“[17] Nun wird im Himmel direkt angebetet, Gott selbst ist das Allerheiligste, der Tempel. Die alten

Rituale der Anbetung weichen einer neuen, unumschränkten Ordnung.

KEINE SONNE UND KEIN MOND (7,16; 21,23; 22,5)

Diese Himmelskörper wurden von Gott erschaffen, um der Erde ihr Licht zu geben. Doch ihre Aufgabe ist erfüllt. Gott selbst ist das Licht des Himmels. *„Und die Stadt bedarf nicht der Sonne noch des Mondes, damit sie ihr scheinen; denn die Herrlichkeit Gottes hat sie erleuchtet, und ihre Lampe ist das Lamm"* (21,23, s. a. 7,16). Und dann heißt es noch: *„Und Nacht wird nicht mehr sein, und sie bedürfen nicht des Lichtes einer Lampe und des Lichtes der Sonne; denn der Herr, Gott, wird über ihnen leuchten, und sie werden herrschen von Ewigkeit zu Ewigkeit"* (22,5).

Das bedeutet, dass die Heilige Stadt von Licht durchflutet ist. Joseph Seiss erklärt das folgendermaßen:

> *Dieser Glanz geht nicht von materieller Verbrennung aus, nicht von einem Treibstoff, der ersetzt werden muss, wenn der Vorrat ausgeht. Es handelt sich um das nicht erschaffene Licht dessen, der das Licht ist. Es wird von und durch das Lamm als ewiges Licht verbreitet und scheint in die Wohnungen, in die Herzen und den Verstand der verherrlichten Heiligen.*[18]

KEINE GREUEL (21,27)

Die Völker werden die Ehre und die Herrlichkeit Gottes in die Stadt bringen, doch wir lesen: *„Und alles Unreine wird nicht in sie hineinkommen, noch derjenige, der Greuel und Lüge tut, sondern nur die, welche geschrieben sind im Buch des Lebens des Lammes"* (21,27). Johannes führt noch andere auf, die ausgeschlossen sind: Unzüchtige, Mörder, Götzendiener und ähnliche (21,8; 22,15).

KEIN HUNGER, KEIN DURST, KEINE HITZE (7,16)

Diese Bürden, die viele Menschen in dieser gegenwärtigen Welt erleiden müssen, werden für immer verschwinden. An ihre Stelle wird der Baum des Lebens und die Schönheit des Paradieses Gottes treten.

Hunger, Durst und Hitze, die heute solche Bedrückung auf der Erde verursachen, werden durch das unbeschreibliche Glück der Gegenwart der Herrlichkeit Gottes ersetzt.

Während also Ihre Familie zu Ihrem Begräbnis geht, werden Sie das Angesicht Jesu sehen. Obwohl Ihre Familie weint, weil Sie gegangen sind, würden Sie nicht auf die Erde zurückkehren, wenn Sie die Wahl hätten. Sie kennen nun den Himmel, und die Erde hat alle Anziehungskraft für Sie verloren. Tony Evans schrieb: „Viel Spaß bei meiner Beerdigung, denn ich werde nicht dabei sein!“

Sie wünschen sich nur, dass diejenigen, die Sie zurücklassen, wissen, wie wichtig es ist, Jesus treu zu sein. Wenn Sie alles von der anderen Seite des Vorhanges betrachten und nun so klare Einsichten bekommen haben, dann wünschen Sie sich, dass Sie auf die Erde hinunterrufen könnten, um die Gläubigen zu ermutigen, Jesus von ganzem Herzen zu dienen. Sie wünschen, sie hätten dies verstanden, ehe der Ruf an Sie erging, in den Himmel zu kommen.

Und plötzlich erkennen Sie, dass nicht jeder Ihre Erlebnisse teilen wird. Einige Menschen – sogar Millionen von Menschen – werden für immer verloren gehen, weil sie das Opfer Jesu nicht für sich persönlich annehmen. Sie weinen, wenn Sie an all die Menschen auf Erden denken, die sehr wahrscheinlich nicht in den Himmel kommen werden.

Sie wissen, dass Sie für immer weiter weinen würden, wenn nicht Gott käme und Ihre Tränen abwischen würde.

Alles wird so eintreffen, wie Jesus es gesagt hat.

WENN DER HADES IN DIE HÖLLE GEWORFEN WIRD

Gründe, nicht an die Hölle zu glauben – Alternative Lehren – Die Gerechtigkeit Gottes – Griechische Bezeichnungen für die Hölle – Eigenschaften der Hölle

Die Hölle ist verschwunden. Und niemand hat's gemerkt."

Mit dieser knappen Bemerkung hat der amerikanische Kirchenhistoriker Martin Marty unsere Haltung gegenüber einem sich auflösenden Dogma zusammengefasst, das in früheren Generationen sehr viel Aufmerksamkeit auf sich zog. Wenn Sie ein Kirchgänger sind, dann fragen Sie sich doch mal, wann Sie das letzte Mal eine ganze Predigt oder Bibelstunde zu dem Thema gehört haben.

In einem Artikel der Zeitung *Newsweek* stand zu lesen: „Das Wort Hölle ist in unserer heutigen Theologie ein Tabu, ein Thema, das ernsthafter wissenschaftlicher Betrachtung nicht würdig ist." Gordon Kaufman von der Harvard Divinity School glaubt, dass wir eine Veränderung der Vorstellungen durchgemacht haben, und sagt: „Ich glaube nicht, dass Himmel und Hölle eine Zukunft haben."

Zugegebenermaßen handelt es sich um ein unerfreuliches Thema. Die meisten Ungläubigen glauben nicht an die Hölle, und viele Christen ignorieren sie einfach. Sogar die Leute, die ständig die Bibel zitieren, schweigen oft verlegen bei diesem Thema. Die Hölle scheint mehr als jede andere biblische Lehre nicht mehr zeitgemäß zu sein.

Und doch lesen wir, dass im Endgericht die ungläubigen Toten aller Zeitalter zum Gericht vor Gott erscheinen müssen. „*Und der Tod und der Hades wurden in den Feuersee geworfen. ... Und wenn jemand nicht geschrieben gefunden wurde in dem Buch des Lebens, so wurde er in den Feuersee geworfen*" (Offb 20,14-15). Dies ist nur eine Beschreibung der Hölle, die sich in der Bibel findet. Was sollen wir mit dieser Lehre nun anfangen?

GRÜNDE, NICHT AN DIE HÖLLE ZU GLAUBEN

Die Lehre von der Hölle wird oftmals deshalb vernachlässigt, weil es schwierig ist, die Hölle mit der Liebe Gottes zu vereinbaren. Dass Millionen von Menschen auf ewig bei vollem Bewusstsein gequält werden, geht über das Auffassungsvermögen des menschlichen Geistes hinaus. Bischof John A. Robinson, der für seine liberalen Gedanken bekannt ist, schreibt:

> *Jesus ... bleibt am Kreuz, solange noch ein Sünder in der Hölle ist. ... In einem Universum der Liebe kann es keinen Himmel geben, der eine Folterkammer toleriert, keine Hölle, die nicht für Gott selbst alles zu Hölle werden lässt. Er kann das nicht ertragen, denn es wäre eine ungeheure Verspottung seines ureigensten Wesens.*[19]

Die Lehre von der Hölle hat viele Menschen vom Christentum abgeschreckt. James Mill hat den Gefühlen vieler Menschen Ausdruck gegeben: „Ich kann kein Wesen gut nennen, das nicht das ist, was gut für mich bedeutet, wenn ich es auf meine Mitgeschöpfe anwende. Und wenn es ein Wesen gibt, das mich dafür in die Hölle schickt, dass ich ihn nicht gut nenne, dann werde ich in die Hölle gehen."[20]

Jemand hat einmal gesagt, dass er nicht mit einem Gott im Himmel zusammensein möchte, der Menschen in die Hölle schickt. Er wolle lieber in die Hölle kommen, wo er in der Ablehnung dieses Gottes existieren könne. „Wenn ein solcher Gott existiert", klagt er, „dann handelt es sich um den Teufel."

Um es einfach auszudrücken: Für uns entspricht die Strafe der Hölle nicht dem Verbrechen. Sicher, alle Menschen tun Schlimmes, und einige begehen sogar große Verbrechen, doch nichts, das jemand jemals getan hat, rechtfertigt unserer Ansicht nach ewige Folter. Und sich vorzustellen, dass Millionen von Menschen in der Hölle landen werden, einfach, weil sie noch nicht von Jesus gehört haben (wie die Bibel behauptet), ist fast unmöglich. Das ist wie die Todesstrafe für einen Falschparker.

Deshalb glauben Millionen von Menschen in der westlichen Welt an ein Leben nach dem Tod, aber an ein glückliches Leben, nicht an ein unglückliches. Echte Furcht vor dem Leiden in der Hölle kommt im normalen Denken der Menschen der westlichen Welt nicht mehr vor. Nur wenige, wenn überhaupt, denken länger über die Aussicht nach, dass einige Menschen in die Hölle kommen. Und noch weniger glauben, dass sie selbst unter den Unglücklichen sein könnten.

ALTERNATIVE LEHREN

Es gibt zwei alternative Theorien, die hier um Anerkennung streiten. Die eine nimmt auf ewig die Hölle, die andere nimmt der Hölle die Ewigkeit.

ALLVERSÖHNUNG

Allversöhnung ist die Bezeichnung für den Glauben, dass am Ende alle Menschen sicher in den Himmel kommen. Weil Jesus für alle Menschen ohne Ausnahme gestorben ist, folge daraus, so sagen die Verfechter, dass alle auch eines Tages gerettet würden. Gott werde jeden Rest an Bösem überwinden, und alle verständigen Geschöpfe (einige schließen sogar Satan mit ein) würden eines Tages erlöst werden.

Hier nun eine Bibelstelle, die die Allversöhner gern zitieren: Paulus lehrte, dass zur Fülle der Zeit Gott *„alles zusammenfassen"* werde *„in dem Christus, das, was in den Himmeln, und das, was auf der Erde ist – in ihm"* (Eph 1,10). Und es sei Gottes Absicht, *„durch ihn alles mit sich zu versöhnen – indem er Frieden gemacht hat durch das Blut seines Kreuzes – durch ihn, sei es, was auf der Erde oder was in den Himmeln ist"* (Kol 1,20). Das bedeutet, so wird behauptet, dass jeder eines Tages zur Familie Gottes gehören wird.

Unglücklicherweise hat diese angenehme Auslegung einige bedeutsame Schwächen. Wenn die Auslegung der Allversöhner richtig wäre, dann würde auch Satan erlöst, d. h. mit Gott versöhnt werden. Und doch wird ausgesagt, dass Christus nicht für ihn gestorben ist (Hebr 2,16); deshalb hätte Gott gar keine Grundlage, auf der er ihn begnadigen könnte, selbst wenn er Buße tun würde.

Weiter lehrt die Schrift ausdrücklich, dass der Teufel zusammen mit dem Tier und dem falschen Propheten

„Tag und Nacht gepeinigt werden“ wird, und zwar *„von Ewigkeit zu Ewigkeit“* (Offb 20,10). Hier haben wir die eindeutige Aussage, dass Satan niemals erlöst, sondern bei vollem Bewusstsein für immer gequält werden wird.

Ja, alles wird eines Tages in Jesus zusammengefasst. Das heißt, dass alles einmal unter seiner direkten Herrschaft stehen wird. Jesus hat alles vollbracht, um Gottes Erlösungsplan zu erfüllen. Die Ordnung der Natur wird wiederhergestellt, und im gesamten Universum wird Gerechtigkeit herrschen. Und wie wir später sehen werden, widerspricht die Lehre von der Hölle nicht der Lehre der Wiederbringung aller Dinge, sondern setzt sie voraus.

Allversöhner zitieren auch andere Verse, etwa: *„Wie es nun durch eine Übertretung für alle Menschen zur Verdammnis kam, so auch durch eine Rechtstat für alle Menschen zur Rechtfertigung des Lebens“* (Röm 5,18). Eine ähnliche Aussage findet sich in 1. Korinther 15,22: *„Denn wie in Adam alle sterben, so werden auch in Christus alle lebendig gemacht werden.“* Die Allversöhner glauben, dass diese Verse bedeuten, dass alle Menschen durch Jesu Tat der Rechtfertigung gerettet werden, weil ja auch alle Menschen für Adams Sünde verurteilt wurden.

Unglücklicherweise geht diese Auslegung aus zweierlei Gründen nicht auf. Erstens müssen diese Texte im Licht der anderen betrachtet werden, die eindeutig lehren, dass Ungläubige für immer in der Hölle verloren sind. Wir dürfen uns nicht den Luxus erlauben, einzelne Bibelstellen aus dem Zusammenhang zu reißen.

Zweitens müssen wir erkennen, dass die Bibel das Wort „alle“ oft mit eingeschränkter Bedeutung benutzt, nämlich alle einer bestimmten Gruppe, anstatt alle ohne Ausnahme. Es gibt dafür zahlreiche Beispiele. Matthäus sagt uns, dass *„ganz Judäa“* zu Johannes dem

Täufer kam (Mt 3,5). Lukas berichtet, dass eine Verordnung erlassen wurde, *„den ganzen Erdkreis einzuschreiben“* (Lk 2,1). Und die Jünger von Johannes dem Täufer beklagten sich, dass *„alle“* Jesus nachfolgen würden (Joh 3,26). In den Abschnitten, die Paulus verfasst hat, wird klar, dass alle, die in Adam sind, sterben müssen, während alle, die in Christus sind, auferweckt werden. Das „Alle“ unterliegt Einschränkungen durch den Zusammenhang.

Der letzte Todesstoß für die Allversöhnungslehre findet sich in Matthäus 12,32. Hier redet Jesus über die Sünde, die nicht vergeben werden kann: *„Dem wird nicht vergeben werden, weder in diesem Zeitalter noch in dem zukünftigen.“* In Markus 3,29 wird dies eine *„ewige Sünde“* genannt, das bedeutet, dass sie in diesem Zeitalter beginnt und in alle Ewigkeit weiter behalten wird, ohne Hoffnung auf Vergebung. Wie können nun Menschen, die diese Sünde begangen haben, mit Gott versöhnt werden, wenn die Bibel eindeutig sagt, dass ihnen nie vergeben werden kann?

Die Allversöhnung ist niemals allgemein von denen anerkannt worden, die die Bibel ernst nehmen. Offensichtlich gäbe es, wenn diese Lehre wahr wäre, keinen dringenden Grund mehr, den Missionsauftrag zu erfüllen oder Ungläubige aufzufordern, Jesus in ihr Leben aufzunehmen.

BEDINGTE UNSTERBLICHKEIT

Während die Allversöhner versuchen, die Hölle aus der Ewigkeit zu streichen, wenden wir uns nun einer Theorie zu, die versucht, die Ewigkeit aus der Hölle zu streichen. Bedingte Unsterblichkeit heißt dabei, dass zwar nicht alle Menschen errettet werden, doch dass auch niemand auf ewig bei vollem Bewusstsein gefoltert wird. Gott erweckt die Bösen auf, um sie zu richten, und dann werden sie ins Feuer geworfen und dort vernichtet. Den Gerechten wird ewiges Leben zuteil, während die Ungläubigen auf ewig in den Tod gehen. Hölle ist in diesem Fall die Auslöschung der Person.

Clark Pinnock von der McMaster Universität in Toronto fragt, wie man sich auch nur einen Augenblick lang vorstellen kann, dass Gott, der seinen Sohn hingab, um am Kreuz zu sterben, „irgendwo in der Ewigkeit eine Folterkammer einrichten würde, um denjenigen ewige Schmerzen zuzufügen, die ihn ablehnen". Er fügt hinzu, dass es schon schwierig genug sei, das Christentum angesichts des Problems des Bösen und des Leides zu verteidigen, auch wenn man nicht noch eine Hölle zu erklären habe.

Pinnock glaubt, dass das Feuer Gottes die Verlorenen verzehre. So erwecke Gott die Gottlosen nicht, um sie zu quälen, sondern um das Urteil über sie zu verkünden und sie zur Vernichtung zu verurteilen, dem zweiten Tod. Ewige Strafe bedeutet nach Pinnock, dass Gott die Verlorenen zum ewigen und endgültigen Tod verurteile.

Pinnocks Lieblingstext lautet: *„Und fürchtet euch nicht vor denen, die den Leib töten, die Seele aber nicht zu töten vermögen; fürchtet aber vielmehr den, der sowohl Seele als Leib zu verderben vermag in der Hölle"* (Mt 10,28). Er nimmt an, dass eine Seele, die der Hölle zum Verderben übergeben wird, nicht mehr weiter besteht.

Leider hält diese Auslegung einer genaueren Analyse nicht stand. Robert A. Morey weist in seinem Buch *Death and the Afterlife*[21] darauf hin, dass das Wort *verderben* (im engl. Original: *destroy*), wie es in der Bibel verwendet wird, nicht bedeutet, dass etwas aufhört zu existieren. In einem griechisch-englischen Lexikon wird *Verderben* (engl.: *destroy*) als „in das ewige Unglück geschickt werden" definiert.

Bedauerlicherweise hält die Lehre von der Vernichtung einfach den Tatsachen nicht stand. Jesus sagt, dass die Verlorenen ins „ewige Feuer" kommen, das für Satan und seine Engel bereitet ist. Und dann fügt er hinzu: *„Und diese werden hingehen zur ewigen Strafe, die Gerechten aber in das ewige Leben"* (Mt 25,46). Weil mit demselben Wort „ewig" sowohl das Schicksal der Gerechten als auch das der Ungerechten beschrieben wird, ist eindeutig, dass Jesus lehrte, dass beide Gruppen ewig existieren werden, wenn auch an verschiedenen Orten. Dasselbe ewige Feuer, das Satan und seine Heerscharen erwartet, wird auch das Los der Ungläubigen sein.

In einem früheren Kapitel haben wir erfahren, dass schon das Alte Testament lehrt, dass die Ungläubigen auf ewig eine bewusste Existenz führen werden. Daniel schreibt: *„Und viele von denen, die im Land des Staubes schlafen, werden aufwachen: die einen zu ewigem Leben und die anderen zur Schande, zu ewigem Abscheu"* (Dan 12,2). Die Ungläubigen werden genauso lange Schande und Abscheu ertragen, wie die Gerechten die Herrlichkeit erleben dürfen.

Schließlich wird von den Einwohnern der Hölle deutlich ausgesagt, dass sie ewiges Verderben erleiden. Diejenigen, die das Tier anbeten und sein Zeichen annehmen, werden *„trinken vom Wein des Grimmes Gottes, der unvermischt im Kelch seines Zornes bereitet ist"* (Offb 14,10). Diese werden

> *mit Feuer und Schwefel gequält werden vor den heiligen Engeln und vor dem Lamm. Und der Rauch ihrer Qual steigt auf von Ewigkeit zu Ewigkeit; und sie*

haben keine Ruhe Tag und Nacht, die das Tier und sein Bild anbeten, und wenn jemand das Malzeichen seines Namens annimmt. (V. 10-11)

Man beachte, dass das Feuer die Ungläubigen nicht vernichtet, sondern quält. Dort, in der Gegenwart der heiligen Engel und des Lammes, gibt es keine Ruhepausen, während derer die Bösen sich ihrer Qual nicht bewusst wären. Sie werden niemals in das friedliche Nichts hinübergleiten.

In Offenbarung 20 finden wir eine ähnliche Szene. Das Tier und der falsche Prophet werden in den Feuersee geworfen, und Satan wird freigelassen, die Nationen nach den tausend Jahren zu verführen. Am Ende dieser Zeit wird Satan in den Feuersee geworfen. Man beachte, dass das Tier und der falsche Prophet während der tausend Jahre in der Hölle nicht vernichtet worden sind. Das Feuer hat sie nicht verzehrt: *„Und der Teufel, der sie verführte, wurde in den Feuer- und Schwefelsee geworfen, wo sowohl das Tier als auch der falsche Prophet sind; und sie werden Tag und Nacht gepeinigt werden von Ewigkeit zu Ewigkeit"* (V. 10).

Deshalb finden sowohl die Lehre von der Allversöhnung als auch die Lehre von der Vernichtung hier ihr Ende. Von der Bibel wird eindeutig ewige, bewusste Qual gelehrt – *man kann diese Abschnitte ehrlicherweise nicht anders interpretieren.*

DIE GERECHTIGKEIT GOTTES

An die Wurzel dieser Argumentation führt uns die Frage, ob die Hölle gerecht ist. Pinnock machte sich Sorgen, wie Sie sich erinnern werden, dass es schon schwer genug sei, alles Schlimme auf der Welt den Ungläubigen zu erklären, ohne ihnen auch noch die Hölle erklären zu müssen. Gefühlvolle Christen, sagt er, könnten nicht an eine ewige, bewusst wahrgenommene Strafe glauben.

Für uns Menschen erscheint eine ewige Strafe in keinem Verhältnis zu den Sünden der Menschen zu stehen. Gott erscheint grausam, ungerecht, sadistisch und rachsüchtig. Der Zweck einer Strafe sei immer die Besserung. Rehabilitation ist das Ziel aller Gefängnisstrafen. Die Vorstellung von einem Ort ewiger Strafe ohne Möglichkeit der Begnadigung oder Besserung scheint uns ungerecht.

Wie kann die Hölle gerecht sein? Die folgenden Beobachtungen mögen zwar nicht alle unsere Fragen beantworten, aber ich hoffe, dass sie uns dabei helfen, die Hölle aus der Perspektive Gottes zu betrachten.

DIE STRAFE ENTSPRICHT DEM VERGEHEN

In einem vorhergehenden Kapitel haben wir erfahren, dass der Hades eines Tages in die Hölle geworfen werden wird. Doch ehe das geschieht, wird jeder auferstehen und persönlich gerichtet werden. *„Und ich sah die Toten, die Großen und die Kleinen, vor dem Thron stehen, und Bücher wurden geöffnet; und ein anderes Buch wurde geöffnet, welches das des Lebens ist. Und die Toten wurden gerichtet nach dem, was in den Büchern geschrieben war, nach ihren Werken“* (Offb 20,12).

Niemand wird durch Werke gerecht, da können Sie sicher gehen. Wie wir im letzten Kapitel dieses Buches sehen werden, ist die Errettung ein Geschenk Gottes, das nicht durch Werke verdient werden kann. Doch für die Unerlösten sind die Werke die Grundlage ihres Urteils. Mit anderen Worten, sie werden anhand ihrer Taten und ihres Wissens gerichtet werden.

Diejenigen, die Jesus nicht kennenlernen konnten, werden nach der Offenbarung der Natur und ihrem eigenen Gewissen gerichtet (Röm 1,20; 2,14-16). Das bedeutet jedoch nicht, dass diejenigen, die die Offenbarung durch die Natur beachten, automatisch gerettet werden, denn niemand lebt immer nach dem, was er weiß. Deshalb muss man Christus kennen, damit man gerettet werden kann. *„Und es ist in keinem anderen das Heil; denn auch kein anderer Name unter dem Himmel ist den Menschen gegeben, in dem wir gerettet werden müssen"* (Apg 4,12).

Doch die Offenbarung Gottes durch die Natur und durch das menschliche Gewissen ist noch immer eine ausreichende Grundlage für ein Urteil. Wie auch immer die Strafe aussehen wird, sie wird genau der Verfehlung entsprechen, denn Gott ist ganz genau in seiner Gerechtigkeit. Diejenigen, die an Christus glauben, werden Barmherzigkeit erfahren; diejenigen, die nicht an ihn glauben (ob sie von ihm gehört haben oder nicht), werden Gerechtigkeit erfahren. In jedem Fall wird Gott verherrlicht.

Überlegen Sie einmal, wie genau Gott jeden Ungläubigen richten wird! Jeder Tag seines Lebens wird bis ins kleinste Detail betrachtet. Die verborgenen Gedanken und Wünsche jeder Stunde werden dargelegt, mit allen Handlungen und Gedanken. Geheim gehaltene Gespräche werden öffentlich gemacht, und die Absichten des Herzens werden vor allen ausgebreitet werden. Die Angeklagten können sich an keinen Verteidiger richten, noch gibt es irgendwelche Schlupflöcher, durch die sie sich hindurchwinden können. Es gibt nichts als klare, offensichtliche Fakten.

Ich glaube, dass die Waage der Gerechtigkeit so genau ist, dass der Pornografieverleger wünschen wird, er hätte solches Material nie in Umlauf gebracht, dass der Dieb sich wünscht, er hätte sich seinen Lebensunterhalt auf ehrliche Weise verdient, und dass der Ehebrecher sein unsittliches Leben bedauert. Eheliche Treue hätte diesem zwar noch keinen Platz im Himmel gesichert, sicherlich, aber sie hätte seinen Aufenthalt in der Hölle etwas weniger qualvoll gestaltet.

Vor Gott wird es keine missverstandenen Hintergedanken geben, und keine mildernden Umstände werden vergessen werden. Die Frau, die den Mann verführte, wird den ihr gebührenden Anteil der Strafe erhalten, und der Mann, der sich verführen ließ, wird seinen Anteil erhalten. Die Eltern, die ihr Kind misshandelten, das sich daraufhin den Drogen zuwandte, weil es die Ablehnung nicht mehr ertragen konnte – allen wird die richtige Schuld zugemessen.

Wir sind uns einig, dass die Lehre vom Himmel eine sehr trostreiche Lehre ist. Was jedoch oft übersehen wird, ist die Tatsache, dass auch das Wissen um die Existenz der Hölle uns trösten kann. Unsere Zeitungen sind voller Vergewaltigungen, Kindesmisshandlungen und Ungerechtigkeiten. Jedes Gerichtsverfahren, das je auf Erden stattgefunden hat, wird wieder aufgerollt werden, jede Handlung und jedes Tatmotiv gründlichst untersucht und eine gerechte Strafe verhängt werden. In der Gegenwart des allwissenden Gottes wird es keine ungelösten Mordfälle, keinen unbekannten Kinderschänder und keine geheimen Bestechungsgelder mehr geben.

UNGLÄUBIGE SIND EWIG SCHULDIG

Die Hölle existiert, weil Ungläubige ewig schuldig sind. Daraus ziehen wir die wichtige Lehre, dass kein menschliches Leid jemals eine Sünde aufwiegen wird. Wenn unser Leiden auch nur die geringste Sünde auslöschen könnte, dann würden die Menschen irgendwann einmal aus der Hölle entlassen, weil ihre Schuld beglichen ist. Wenn man alles menschliche Bemühen und Leiden vom Beginn der Zeit an zusammenzählen könnte, dann könnte es doch nicht einmal die kleinste Sünde tilgen.

> *Wäre mein Eifer grenzenlos,*
> *würden meine Tränen ewig fließen,*
> *so könnte doch alles nicht die Sünden sühnen;*
> *du musst erlösen, du allein.*

Von Sir Francis Newport, der das Christentum lächerlich machte, heißt es, dass er auf seinem Totenbett die folgenden erschreckenden Worte äußerte:

> *Ach, wenn ich tausend Jahre auf einem Feuer liegen könnte, das niemals erlischt, um mir das Wohlwollen Gottes zu erkaufen und mit ihm wieder vereinigt würde! Doch das ist ein nutzloser Wunsch. Millionen und Abermillionen von Jahren würden mich dem Ende meiner Qual nicht näherbringen als eine einzige Stunde. Oh, Ewigkeit, Ewigkeit! Ohne Ende und Ausgang! Oh, die unerträglichen Qualen der Hölle!*[22]

Er hatte ganz recht, als er sagte, dass eine Million Jahre in der Hölle die Erlösung nicht erkaufen kann. Tragischerweise warf er Gott seine Verzweiflung nicht mehr vor die Füße. Weil die Werke keines Menschen ihn retten können, muss er die volle Last seiner Sünde in der Ewigkeit tragen.

WIR KÖNNEN DIE BEDEUTUNG DER SÜNDE NICHT ERMESSEN

Wir müssen zugeben, dass wir nicht genau wissen, wie viel Strafe für die Menschen genug ist, die gegen Gott gesündigt und keine Vergebung erhalten haben. Wir mögen denken, wir wüssten, wer Gott ist, doch wir sehen ihn nur undeutlich wie in einem schlechten Spiegel. Jonathan Edwards sagte einmal, dass wir uns so sehr an dem Gedanken der Hölle reiben, weil wir so gefühllos für die Sünde sind.

Was ist denn, wenn die Schwere einer Sünde von Gottes Standpunkt aus nach der Größe dessen bewertet wird, gegen den sie getan wurde? Dann ist die Schuld unserer Sünde unendlich, weil wir den Charakter eines unendlichen Wesens verletzt haben, eine Schuld, die niemals beglichen werden kann!

Wir müssen erkennen, dass Gott sich die Eigenschaften, die er hat, nicht ausgesucht hat. Weil er von aller Ewigkeit her gewesen ist, wurden seine Eigenschaften schon in der Ewigkeit vor der Zeit festgelegt. Wenn Gott nicht schon in alle Ewigkeit die Eigenschaften Liebe und Barmherzigkeit gehabt hätte, wären wir vielleicht von einem bösen und grausamen Wesen erschaffen worden, das Freude daran hat, seine Kreaturen in Ewigkeit zu quälen. Zum Glück ist das nicht der Fall. Die Bibel berichtet von der Liebe und Barmherzigkeit Gottes. Er hat kein Gefallen am Tod des Gottlosen. Doch hat die Bibel auch sehr viel über seine Gerechtigkeit und die Tatsache zu sagen, dass selbst die Verlorenen in der Hölle ihn verherrlichen. Um es deutlich zu sagen: Wir müssen Gott so akzeptieren, wie er in der Bibel offenbart wird, ob er uns so gefällt oder nicht.

Es ist ziemlich absurd zu sagen: „Ich will nicht im Himmel mit einem Gott wohnen, der Menschen in die

Hölle schickt. Ich gehe lieber in die Hölle und trotze ihm." Ich kann gar nicht genug über die Dummheit der Menschen sagen, die meinen, Gott zu ihrer eigenen Befriedigung oder ihm zu Schaden ablehnen zu können! In Psalm 2 lesen wir, dass Gott im Himmel sitzt und über diejenigen lacht, die meinen, ihm die Stirn bieten zu können. Wie die Maus, die meint, sich gegen den Pflug des Bauern stemmen zu können, oder das Ruderboot, das versucht, einen Flugzeugträger aufzuhalten, ist es verrückt, wenn der Mensch denkt, er könne sich dem lebendigen Gott entgegenstellen, der zornig über Sünder ist und sich an denen rächt, die ihm widerstehen.

Wenn wir uns unsere heutige Welt ansehen, sollten wir uns nicht wundern, dass Gott es erlaubt, dass viele Menschen in ewigem Unglück leben. Denken Sie nur an die unermesslichen Leiden (und zwar Leiden, die sich verhindern ließen), die Gott auf dieser Welt zulässt. Ein Erdbeben tötet zwanzigtausend Menschen, eine Flutwelle in Bangladesch ertränkt fünfzigtausend, und die Hungersnot auf der Welt fordert an jedem einzigen Tag zwanzigtausend Menschenleben! Wer kann auch nur anfangen, die Menge an Leid zu berechnen, die Säuglinge, Kleinkinder und Erwachsene zu erleiden haben? Und doch wissen wir, dass ein Wort des Allmächtigen die Erdkruste dicker machen, Regen schicken oder eine Flut aufhalten könnte.

Wenn Gott es zulässt, dass Menschen schon seit Tausenden von Jahren in unfassbarem Leid leben, warum sollte es ihm so fremd sein, das Leid für immer fortzuführen? Charles Hodge fragt: „Wenn die höchste Ehre Gottes und der Vorteil des Universums durch die Sündhaftigkeit und das Elend der Menschen gefördert worden ist, warum sollten diese Ziele nicht durch die Ereignisse gefördert werden, die uns vorausgesagt sind?"[23]

Wenn unsere Vorstellung von Gerechtigkeit sich von der Gottes unterscheidet, können wir sicher sein, dass es ihn nicht im Geringsten beeindruckt, wenn wir versuchen, ihn dazu zu bewegen, die Dinge von unserem Standpunkt aus zu betrachten. Niemand ist Gottes Ratgeber, niemand kann ihm Anweisungen geben oder ihn korrigieren. Er fragt uns nicht danach, wie wir die Welt regiert haben wollen.

GRIECHISCHE BEZEICHNUNGEN FÜR DIE HÖLLE

Das Neue Testament benutzt drei verschiedene griechische Ausdrücke für die Hölle. Einer davon ist *tartarus*, der in 2. Petrus 2,4 für den Aufenthaltsort der gefallenen Engel benutzt wird, die zur Zeit Noahs gesündigt haben: *„Denn Gott hat Engel, die gesündigt hatten, nicht verschont, sondern sie in finsteren Höhlen des Abgrundes gehalten und zur Aufbewahrung für das Gericht überliefert."* In Judas 6 wird das Wort *tartarus* auf die gleiche Weise verwendet.

Das zweite und am meisten benutzte Wort für Hölle im Neuen Testament ist *gehenna*, ein Wort, das die Juden schon vor der Zeit Christi benutzten. Das Wort ist von dem Hebräischen „Tal Hinnom" abgeleitet, das sich im Alten Testament findet (Jos 15,8; 2Kö 23,10; Neh 11,30). In diesem Tal außerhalb Jerusalems hatten Juden den heidnischen Götzen Menschenopfer dargebracht. Dorthin wurde auch der Abfall der Stadt geschafft, wo es von Würmern nur so wimmelte. Das erklärt, warum Jesus die Hölle als einen Ort bezeichnet, *„wo ihr Wurm nicht stirbt und das Feuer nicht erlischt"* (Mk 9,44.46.48).

Dieses Bild eines unreinen Abfallhaufens, wo das Feuer nicht erlischt und die Würmer nicht sterben, wurde für die Juden zur passenden Beschreibung des endgültigen Schicksals aller Götzendiener. So wurde das Wort auf die endgültige *gehenna* angewandt. Die Juden lehrten – und Jesus bekräftigte diese Lehre –, dass die Verlorenen dort von Ewigkeit zu Ewigkeit leiden müssen. Körper und Seele werden ewig gequält.

Über Jahrzehnte hinweg haben liberale Theologen gelehrt (und einige Sentimentale tun das heute noch), dass Jesus, der die Liebe Gottes betonte, niemals von der Hölle gesprochen habe. Doch erstaunlicherweise kommt an den zwölf Stellen, an denen die *gehenna* im Neuen Testament erwähnt wird, das Wort elfmal aus dem Mund unseres Herrn. Er sprach sogar öfter von der Hölle als vom Himmel.

Das dritte Wort ist *hades*. Ich erwähne es hier nur, weil es in der Lutherbibel an einigen Stellen mit „Hölle" übersetzt wird. Viele andere Übersetzungen lassen es einfach unübersetzt als „Hades" stehen, sodass man es von der eigentlichen Hölle unterscheiden kann.

Wie wird nun das Leiden in der Hölle aussehen? Wir müssen uns vor unnötigen Spekulationen hüten, weil die Schrift die Qualen der Hölle nirgendwo genau beschreibt. Wir dürfen nicht in den Fehler mittelalterlicher Theologen verfallen, die die Hölle mit den lebhaften Details eines Fremdenführers ausschmückten. Ja, Jesus erzählte eine Geschichte, die uns einen Einblick in die Hölle gewährt, oder genauer, in den Hades, der das Vorspiel zum endgültigen Ort der ewigen Strafe ist.

EIGENSCHAFTEN DER HÖLLE

In einem der vorhergehenden Kapitel haben wir schon die Geschichte Jesu vom reichen Mann im Hades und

Lazarus im Schoß Abrahams erwähnt. Jesus will hier zeigen, wie sich das Schicksal beider Männer im zukünftigen Leben umkehrt. Der Reiche wird gequält, während der Arme glücklich ist.

Doch nach dem Gericht wird der Hades in den Feuersee geworfen. Aber zweifellos werden einige Eigenschaften des Hades weiterbestehen, oder, genauer gesagt, die Qual des Hades wird in der Hölle noch verstärkt.

EIN ORT DER QUAL

Wenn wir normalerweise an die Hölle denken, dann denken wir an Feuer, weil Jesus von dem „Feuer der Hölle“ gesprochen hat. In der Offenbarung lesen wir von dem „Feuer- und Schwefelsee“.

Es gibt keinen Grund, warum zu den Qualen der Hölle nicht auch echtes Feuer gehören sollte, weil die Körper der Anwesenden neu erschaffen und unzerstörbar gemacht worden sind. Im Gegensatz zu unseren heutigen Körpern werden die der auferstandenen Toten nicht verbrennen oder ausgelöscht werden. Deshalb ist ein wörtlich verstandenes Feuer eine Möglichkeit.

Doch wie wir schon weiter oben erfahren haben, wird es in der Hölle noch eine andere Art Feuer geben, eines, das schlimmer sein könnte als echtes Feuer. Das ist das Feuer der unerfüllten Begierden, von Wünschen, die nie erfüllt werden. Ewig brennende Lüste werden niemals aufhören, und das gequälte Gewissen brennt, aber es wird niemals befriedigt oder gesättigt. Es wird mehr Verlangen und weniger Erfüllung geben.

Hölle ist also die rohe Seele in einem unzerstörbaren Körper, die ihrer eigenen Sünde auf Ewigkeit ausgesetzt ist. Die Hölle ist der Ort unstillbarer, rasender Schuld, ohne Schmerzmittel oder Betäubung. Ein echtes Feuer wäre hier vielleicht willkommen, könnte es das gequälte Gewissen reinigen.

Doch eines ist sicher: Weder Satan noch seine Engel werden in der Hölle Menschen quälen. Satan und seine Dämonen werden unter den Gequälten sein, nicht Folterknechte (Offb 20,10).

EIN ORT DER VERLASSENHEIT

Im Hades gab es eine unüberwindbare Kluft zwischen Lazarus und dem Reichen, aber sie konnten noch miteinander sprechen. Doch es ist unwahrscheinlich, dass es solche Verbindungen in der Hölle noch gibt. Zum einen wurde „Abrahams Schoß" bei der Auferstehung direkt in die Gegenwart Christi versetzt. Zum anderen gibt es im Neuen Testament keinen Hinweis darauf, dass die Menschen in der Hölle in der Lage sind, miteinander zu kommunizieren.

C. S. Lewis glaubte, dass es in der Hölle keinerlei Kommunikation geben werde, weil sie ein Ort der Einsamkeit sei. Jonathan Edwards war der Meinung, dass die Ungläubigen, wenn sie zusammen sind, einander nur noch mehr Schmerzen zufügen würden, weil sie einander mit Hass, Anklagen und bösen Worten begegnen würden. Aber eines können wir absolut sicher sein: Niemand wird Trost durch die Anwesenheit der anderen erfahren. Verzehrt von der Qual unstillbarer und unvergebener Sünde werden die Menschen in der Hölle keinen Trost haben.

Doch die Schrift lehrt, dass diejenigen, die in der Hölle sind, in der Gegenwart Christi und seiner heiligen Engel gequält werden (Offb 14,10). Nicht erwähnt wird, ob andere Menschen Zeugen der Leiden der Verdammten werden. Allerdings lädt Gott oft Gerechte oder Engel ein, das Gericht zu betrachten, das er über die Ungerechten ausgießen wird (Ps 46,9-10; Jes 66,23-24; Offb 19,17-21). Der berühmte Prediger Charles Spurgeon schrieb: „Wenn es etwas gibt, das in der Hölle schlimmer ist als alles andere, dann wird es das sein, dass man die Heiligen im Himmel sieht. Mann, dort ist deine Frau im Himmel, und du bist verurteilt. Und siehst du deinen Vater? Und dein Kind steht vor dem Thron, und du bist von Gott und Menschen verflucht in der Hölle."

Wenn Gläubige diese Vorgänge sehen können, dann können wir sicher sein, dass sie vollständig mit Gottes Gerechtigkeit einverstanden sind, denn sie werden alles von seinem Standpunkt aus sehen. So können die Gerechten die Freuden des Himmels genießen, obwohl ihnen das Schicksal der Verlorenen in der Hölle ohne Abstriche bekannt ist.

Obwohl Dante viele seiner eigenen Vorstellungen zum Aberglauben seiner Zeit hinzufügte, als er das Drama *Die Hölle* schrieb, steht doch das Schild im Vorhof der Hölle in Übereinstimmung mit der biblischen Lehre der Hoffnungslosigkeit und Verlassenheit.

Der Eingang bin ich zu der Stadt der Schmerzen,
der Eingang bin ich zu den ew'gen Qualen,
der Eingang bin ich zum verlorenen Volke.

Heilige Gerechtigkeit bewog meinen Schöpfer,
mich zu schaffen durch seine göttliche Allmacht,
durch höchste Weisheit und uranfängliche Liebe.

Vor mir entstand nichts, als was ewig währet,
und ew'ge Dauer ward auch mir beschieden;
ihr, die ihr eingeht, lasst alle Hoffnung fahren.

Jonathan Edwards wies darauf hin, dass die Menschen in der Hölle keinen Grund haben werden, irgendeine geheime Hoffnung zu hegen, dass Gott Mitleid mit ihnen hat und sie befreien wird, wenn sie viele Zeitalter in der Hölle verbracht haben. Nach einer Million Zeitalter wird Gott noch immer nicht mehr geneigt sein, sie freizulassen, als im ersten Augenblick. Kein Wunder, sagt Edwards, dass jede Beschreibung, die wir von der Hölle geben können, nur eine schwache Wiedergabe der Realität sein kann!

EIN EWIGER ORT

Wie lange dauert die Ewigkeit?

Stellen wir uns einen Vogel vor, der einmal in einer Million Jahren auf die Erde kommt und ein Körnchen Sand mit auf einen entfernten Planeten mitnimmt. Auf diese Art und Weise würde es Tausende von Milliarden Jahren dauern, bis der Vogel auch nur eine Handvoll Sand weggetragen hat. Lassen Sie uns dieses Bild nun ausdehnen und darüber nachdenken, wie lange es dauern würde, wollte der Vogel den Strand der Nordsee und danach die anderen Tausende von Stränden der Welt wegtragen. Und danach könnte der Vogel anfangen, die Berge und die Erdkruste abzutragen.

Wenn der Vogel die gesamte Erde an einen fernen Planeten transportiert hätte, hätte die Ewigkeit gerade einmal begonnen. Streng genommen kann man keine unendliche Arbeit anfangen, denn ein Anfang setzt ein Ende voraus. Mit anderen Worten, wenn der Vogel sein Werk vollbracht hat, dann sind die Menschen in der Ewigkeit nicht einen Schritt näher zum Ende ihrer Leiden gekommen. Eine „halbe Ewigkeit“ existiert eben nicht.

Die ernüchterndste Tatsache, die uns je zu Bewusstsein kommen kann, ist, dass der Mann in der Hölle, den wir oben erwähnten, bis heute noch keinen Tropfen Wasser bekommen hat, nach dem er sich so verzweifelt sehnte. Heute, während Sie dieses Buch lesen, wartet er noch immer auf das Endgericht im Feuersee. Die Ewigkeit dauert, und zwar eine Ewigkeit lang.

Man kommt leicht hinein, aber nicht wieder hinaus

In die Hölle zu kommen ist einfach genug. Man braucht nur an Jesus vorbeizugehen, dem Einzigen, der uns retten kann.

Jonathan Edwards, den wir schon zitiert haben, hat sich mehr als jeder andere Theologe mit der Hölle befasst. Seine Predigt „Sünder in den Händen des zornigen Gottes" ließ große Zuschauermassen verstummen und nahm ihnen jeden Einwand oder jede Ausrede, die sie gegen die Lehre der Hölle hätten vorbringen können. Er betonte, dass es einige jetzt lebende Menschen gibt, denen Gott mehr Zorn entgegenbringt als denen, die jetzt im Hades (den er Hölle nannte) und schon gestorben sind. Deshalb war es nur die Barmherzigkeit Gottes, die sie davon abhielt, in den Abgrund zu stürzen.

> *Außer Gottes Barmherzigkeit gibt es nichts, was böse Menschen davor bewahrt, jederzeit in die Hölle zu kommen. ... Gott hat nicht zu wenig Macht, sie sofort jetzt in die Hölle zu werfen. ... Sie haben es verdient, in die Hölle zu kommen, deshalb würde göttliche Gerechtigkeit dem nicht entgegenstehen ... Sie unterstehen jetzt demselben Zorn, der sich in den Qualen der Hölle entlädt. ... Ja, Gott ist weitaus zorniger auf viele Menschen, die jetzt auf Erden leben, ja zweifellos auch auf einige, die dieses Buch*

lesen, die vielleicht sogar sorglos sind, als er auf diejenigen zornig ist, die jetzt schon in den Flammen der Hölle schmoren.

Unbekehrte Menschen gehen über dem Abgrund der Hölle auf einem verrotteten Untergrund, und es gibt zahllose Stellen dieses Untergrundes, die so instabil sind, dass sie das Gewicht dieser Menschen nicht tragen können. Diese Stellen sind unsichtbar. … Da ist der schreckliche flammende Abgrund des Zornes Gottes; der Mund der Hölle ist weit offen und Sie haben nichts, auf dem Sie stehen können, nichts, an dem Sie sich festhalten können. Zwischen Ihnen und der Hölle ist nichts als Luft, und nur die Macht und die Barmherzigkeit Gottes hält Sie noch aufrecht. Doch sein Zorn lodert Ihnen entgegen wie ein Feuer, und in seinen Augen sind Sie nur wert, in das Feuer geworfen zu werden. … Sie hängen an einem dünnen Faden, den die Flammen des Göttlichen Zorns umlodern und der jeden Moment verbrennen und zu Asche verschmoren kann.“[24]

Ein mächtiges Bild!

Wenn Sie das Lesen dieses Kapitels erschreckt hat, dann lautet die gute Nachricht, dass Sie eingeladen sind, Jesus zu vertrauen, dass er ihnen hilft, der Hölle zu entkommen. Ja, wir lesen: *„Wer an den Sohn glaubt, hat ewiges Leben; wer aber dem Sohn nicht gehorcht, wird das Leben nicht sehen, sondern der Zorn Gottes bleibt auf ihm“* (Joh 3,36). Gott sei Dank, denn es gibt einen Weg, dem zu entkommen, und wir können auf ewig vor dem künftigen Zorn Gottes bewahrt werden.

WENN SICH DER VORHANG FÜR SIE ÖFFNET

Tod durch Selbstmord – Glaube an die Vorsehung Gottes – Wie man sterben kann

Im Nahen Osten gibt es eine Fabel über einen Kaufmann aus Bagdad, der seinen Diener auf den Basar schickte, um etwas zu besorgen. Als der Diener seine Aufgabe erledigt und den Basar verlassen hatte, kam er um die Ecke und begegnete unerwartet der Frau Tod.

Der Ausdruck ihres Gesichtes erschreckte ihn so sehr, dass er den Basar eilig verließ und nach Hause hastete. Er erzählte seinem Herrn, was ihm begegnet war, und bat ihn um sein schnellstes Pferd, um so viel Entfernung wie nur möglich zwischen sich und Frau Tod zu bringen – ein Pferd, das ihn noch vor Anbruch der Nacht bis nach Sumer bringen sollte.

Später am selben Tag ging der Kaufmann selbst auf den Basar, und auch ihm begegnete Frau Tod. „Warum hast du heute morgen meinen Diener so außer sich gebracht?“, fragte er.

„Ich wollte deinen Diener nicht außer sich bringen – ich selbst war außer mir“, erwiderte Frau Tod. „Ich war erstaunt, deinen Diener heute morgen in Bagdad zu sehen, weil ich heute Abend mit ihm eine Verabredung in Sumer habe.“

Sie und ich haben einen Termin. Vielleicht in Bangkog, Chicago oder Berlin. Wo auch immer, diesen einen Termin werden wir einhalten. Wie C. S. Lewis sagte: „Die Todesstatistik ist beeindruckend: Zur Zeit liegt sie bei 100 Prozent!"

Krebs, Unfälle und Hunderte verschiedener Krankheiten warten nur auf eine Gelegenheit, uns zu verschlingen. Der Tod wartet auf uns wie der Betonboden auf eine herunterfallende Glühbirne. Der erste Mensch, der starb, war weder Adam, der erste Sünder, noch Kain, der zum Mörder wurde, sondern Abel, ein Gerechter. Wir lächeln sarkastisch, wenn wir von dem Besitzer eines Beerdigungsinstituts lesen, der seine Korrespondenz mit „eines Tages Ihr" unterschrieb.

TOD DURCH SELBSTMORD

Das Leid, das oft dem Tod vorausgeht, kann so schrecklich sein, dass viele Menschen hoffen, den Sterbeprozess überspringen zu können, um den Tod selbst zu erreichen. Bücher, die Anleitung zum Selbstmord geben, verkaufen sich gut, und eine wachsende Anzahl von Menschen wollen „ihr Schicksal in die eigene Hand nehmen", statt sich der modernen Medizin anzuvertrauen. Ein „würdiger Tod", so sagt man, sei jedermanns Recht.

Wenn wir es genau nehmen, stirbt jedoch niemand „mit Würde". Seit die Sünde in die Welt gekommen ist und den Tod mit sich brachte, war der Tod immer die endgültige Demütigung, die eine unabänderliche Tatsache, die unsere Sterblichkeit bestätigt und unseren Körper zu Asche zerfallen lässt.

Wahrscheinlich hing Jesus selbst nackt am Kreuz, den Blicken der Neugierigen vor der Stadt Jerusalem ausgesetzt. Wir sind dankbar, dass wahrscheinlich keiner von uns solch eine schändliche öffentliche Folter über sich ergehen lassen muss, doch der Tod ist niemals schön.

Ein anderes Argument dafür, dem Tod nachzuhelfen, liegt darin begründet, dass die medizinische Technologie das Leben künstlich verlängert. Statt die Menschen leiden zu lassen, gibt es heute Ärzte, die es auf sich nehmen, Patienten zu helfen, sich selbst zu „erlösen".

Dies ist nicht der Ort, um die Folgen der Sterbehilfe in der Gesellschaft zu diskutieren. Wir können nur voraussehen, dass eines Tages Druck auf die Älteren ausgeübt wird, Sterbehilfe in Anspruch zu nehmen, um medizinische Kosten zu sparen und es der Familie zu erleichtern. Sehr schnell kann das *Recht* zu sterben zur *Verpflichtung* zum Sterben führen.

Diejenigen, die den Selbstmord wählen (aus welchen Gründen auch immer), sollten sich daran erinnern, dass der Tod nicht das Ende ist, sondern eine Tür zum ewigen Leben. Schlimm zu sagen, aber einige, die die Schmerzen des Todes kaum ertragen können, werden in einem Reich erwachen, das noch schlimmer ist, als es die Erde je sein könnte. Wir sollten den Tod aus der Hand Gottes nehmen, aber die Hand nicht zur Eile zwingen.

Erst kürzlich beging ein sehr bekannter Pastor Selbstmord. Er hatte lange Jahre das Evangelium gepredigt, und Dutzende, wenn nicht Hunderte haben sich unter seiner Predigt bekehrt. Und doch lag er dort im Gras mit den Wunden einer Schusswaffe, die er sich selbst zugefügt hatte.

Ja, auch Christen – und zwar echte Christen – können manchmal Selbstmord begehen. Ich glaube, dass sie in den Himmel kommen, und zwar auf die einzige

Weise, auf die auch wir dorthin kommen können: *durch die Gnade Gottes*. Natürlich sterben diejenigen, die ihrem Leben selbst ein Ende setzen, als Versager, und ihre letzte Handlung war Mord (nämlich Selbstmord). Und doch werden sie durch die Tore des Himmels geführt, weil sie unter dem Schutz Gottes durch Jesus Christus stehen.

Als Pastor bekomme ich oft Anrufe von verzweifelten Menschen, die möchten, dass ich ihnen bestätige, dass sie in den Himmel kommen, wenn sie Selbstmord begehen. Ich sage ihnen regelmäßig, dass es auch eine andere Lösung gibt – Selbstmord ist nie ein ehrenhafter Ausweg aus einer schwierigen Lage. Was immer wir nötig haben, Jesus hat uns die Mittel gegeben, mit den Problemen unseres Lebens fertigzuwerden. Das bedeutet manchmal, unliebsame Entscheidungen zu treffen, doch es gibt immer einen Ausweg.

Zweitens, und das ist wichtig, ist es unverschämt, Selbstmord in der Annahme zu begehen, dass danach alles gut werden wird. Zum einen sind viele, die von sich behaupten, Christen zu sein, in Wahrheit keine Christen. Deshalb wird für sie der Selbstmord die Tür zum ewigen Leiden. Zum anderen vergessen wir, dass wir Jesus für die Art, wie wir auf Erden leben (und sterben), verantwortlich sind. Obwohl Jesus uns unsere Sünden nicht ständig vorhalten wird, wird doch unser Leben sorgfältig beurteilt werden. Es hat letztlich keinen Sinn, Jesus zu begegnen, solange er uns nicht ruft.

GLAUBE AN DIE VORSEHUNG GOTTES

Am 8. November 1994 reisten Pastor Scott Willis und seine Frau Janet mit sechs ihrer neun Kinder über die

Autobahn bei Milwaukee, als ein Stück Metall von einem Lastwagen vor ihnen herunterfiel. Scott hatte keine andere Wahl, als den Klotz zwischen die Räder zu nehmen. Dadurch explodierte der hintere Benzintank, und fünf der sechs Kinder starben sofort in den Flammen. Das sechste Kind, Benjamin, starb einige Stunden später.

Scott und Janet konnten mit schweren Brandwunden aus dem Auto entkommen. Als sie dort standen und zusehen mussten, wie ihre Kinder im Feuer starben, sagte Scott zu Janet: „Das ist der Augenblick, auf den Gott uns vorbereitet hat." Der Mut dieses Ehepaars wurde überall in den USA und der Welt bewundert. Jesus ging mit ihnen durch den tiefen Schmerz dieser Tragödie.

„Jeden Morgen, wenn wir aufwachen, sagen wir uns, dass dies ein neuer Tag ist, an dem sich die Treue Gottes beweist. Jeden Abend sagen wir: Nun sind wir dem Wiedersehen mit unseren Kindern einen Tag näher." Dieses Zeugnis stammt von einem Paar, das sich bewusst war, dass Kinder eine Gabe Gottes sind, und wenn Gott sie wieder bei sich haben will, dann hat er das Recht, sie zu sich zu holen. Hiob, der Patriarch des Alten Testaments, würde zustimmen.

Wir sagen, dass Familie Willis einen Unfall hatte, doch war dies nicht, von Gott her gesehen, ein vorherbestimmtes Ereignis? Ich glaube schon. Was wir einen Unfall nennen, kann sehr wohl ein von Gott sorgfältig geplantes Ereignis sein.

Denken Sie nur an die Möglichkeiten, an all die Ereignisse, die hier zusammenkommen mussten, damit der Unfall passierte. Hier nur eine Auswahl: *Wenn* sie ihre Reise morgens nur eine Minute früher oder später angetreten hätten; *wenn* der Lastwagen nur an einer anderen Stelle der Autobahn gewesen wäre ... einige Sekunden früher oder später. Oder man kann sagen, *wenn* nur das Stück Metall früher oder später heruntergefallen wäre, oder, statt mitten auf der Spur liegen zu bleiben, in den Graben gepurzelt wäre ...

Mit ein bisschen Anstrengung könnten wir mindestens ein Dutzend *Wenn* finden. Letztlich konnte dieser Unfall nicht passieren, hätten nicht eine Menge Umstände dazu geführt, dass alles zur rechten Zeit am rechten Ort war.

Hören Sie einmal auf die Unterhaltung bei Beerdigungen, und Sie werden viele „Wenn" zu hören bekommen.

- „*Wenn* wir nur den Arzt früher gerufen hätten ..."
- „*Wenn* nur kein Eis auf der Autobahn gewesen wäre ..."
- „*Wenn* wir nur den Knoten früher entdeckt hätten ..."
- „*Wenn* sie nur operiert hätten ..."
- „*Wenn* sie nur nicht operiert hätten ..."

Ich möchte Sie auffordern, mit einem Stift einen Kreis um diese *Wenn* zu zeichnen. Dann sollten sie an den Kreis schreiben: „Die Vorsehung Gottes." Der Christ glaubt, dass Gott größer ist als unsere *Wenn*. Seine vorsehende Hand umfasst unser ganzes Leben, nicht nur die guten Tage, sondern auch die „schlechten". Wir führen das Wort „Unfall" in unserem Vokabular, er nicht.

Unfälle, schlechte Gesundheit oder sogar Tod durch die Hand eines Feindes – Gott benutzt all das, um seine Kinder nach Hause zu bringen. Solange wir uns seiner Fürsorge anvertrauen, können wir darauf vertrauen, dass wir nach seinem Zeitplan sterben. Wir können die Ereignisse außerhalb von uns nicht beeinflussen, aber wir sind natürlich dafür verantwortlich, wie wir auf die scheinbar zufälligen Ereignisse unseres Lebens reagieren. Es ist eine Tatsache, dass Gott uns einen

Feuerwagen schicken kann, wenn er uns zu sich holen will.

Martha und Maria kannten auch ihre *Wenn* (Joh 11,1-44). Als Jesus erfuhr, dass sein Freund Lazarus krank war, blieb er absichtlich noch zwei Tage, sodass Lazarus schon tot und begraben war, als er in Bethanien ankam. Beide Schwestern äußerten unabhängig voneinander ihre Klage: *„Herr, wenn du hier gewesen wärest, so wäre mein Bruder nicht gestorben"* (V. 21.32). Doch Jesus wollte, dass sie wussten, dass Lazarus nach dem Willen Gottes gestorben war, er starb nach göttlichem Plan.

Wir gewinnen nichts dadurch, dass wir eine Tatsache betrauern, indem wir sagen: „Wenn wir es nur gewusst hätten, könnte heute alles anders sein." Wir brauchen nicht wie die Frau zu werden, die vierzehn Jahre lang jeden Morgen zum Grab ihres Mannes pilgerte, weil sie sich schuldig fühlte. Sie hatte ihren Mann überredet, zu einem Konzert zu fahren. Auf dem Weg dorthin hatten sie einen Unfall, bei dem er getötet wurde. Solche falschen Schuldgefühle kommen nicht von Gott, sondern aus uns selbst.

Diese Frau – Gott segne sie! – hätte sich selbst viel Kummer ersparen können, hätte sie nur daran gedacht, dass wir nur Menschen sind und Gott Gott ist. Sie konnte vorher nicht wissen, dass dieser Unfall sich ereignen würde. Wir alle haben schon einmal unseren Ehepartner überredet, irgendwo hinzugehen, wohin er nicht wollte. Uns alle hätte also dieses Schicksal treffen können. Wir müssen verstehen, dass Gott größer ist als unsere Fehler, er ist auch größer als ein Stück Stahl, das zufällig auf der Autobahn von einem Lastwagen fällt. Wir müssen uns daran erinnern, dass diese Vorfälle, auf die wir keinerlei Einfluss haben, ganz fest in seiner Hand sind.

Als Lina Sandell Berg 26 Jahre alt war, begleitete sie ihren Vater auf einem Schiff, das den Vättersee in Schweden auf dem Weg nach Gothenburg überquerte. Das Schiff bäumte sich unerwartet so auf, dass Linas Vater, ein hingegebener Christ, über Bord fiel und vor den Augen seiner Tochter ertrank. Aus ihrem gebrochenen Herzen heraus schrieb sie ein Lied, das in den USA sehr bekannt ist. Wenn Sie diese Worte lesen, suchen Sie doch alle die Zeilen heraus, die zeigen, dass Lina darauf vertraute, dass ihr Vater in der liebevollen Fürsorge Gottes starb.

Tag für Tag und jeden Augenblick
finde ich Kraft, meinen Anfechtungen hier zu begegnen,
vertraue auf meines Vaters weise Gaben,
und ich habe keinen Grund,
mich zu sorgen oder zu fürchten.

Der, dessen Herz über alle Maßen freundlich ist,
gibt jedem Tag, was er als Bestes erkannt hat –
mit Liebe, die Teil von Schmerz und Freude ist,
die Mühe mit Friede und Ruhe durchmischt.

Jeden Tag ist der Herr selbst neben mir
mit einer besonderen Gnade für jede Stunde.
Alle meine Sorgen will er gern tragen und mich aufmuntern,
der, dessen Name Wunderrat und Macht ist.

Der Schutz seines Kindes und seines Schatzes
ist eine Aufgabe, die er sich selbst gestellt hat.
„Wie deine Tage, so deine Kraft" –
diese Verheißung gab er mir.

Bemerkenswerterweise hatte Lina das Zutrauen, dass der Tod ihres Vaters, den viele wohl einfach der zufälligen Bewegung eines vom Wind gebeutelten Schiffes zuschreiben würden, unter den liebenden sorgenden Augen ihres Herrn geschah. Sie konnte schreiben: „Der Schutz seines Kindes und seines Schatzes ist eine Aufgabe, die er sich selbst gestellt hat." Sie war weit davon entfernt, diesen Vorfall als ein grausames Versehen Gottes anzusehen; stattdessen hielt sie den Tod ihres Vaters für den Ausdruck liebevoller Fürsorge! Menschlich gesehen starb er wegen einer unerwartet hohen Welle, von Gott her gesehen starb er, weil Gott wollte, dass er heimkehrt.

Wenn für uns die Zeit zu sterben gekommen ist, werden wir durch das Beispiel des Einen getröstet, der den Vorhang durchschritten hat und wiederkam, um uns zu sagen, was wir auf der anderen Seite erwarten können. Jesus ist unser bestes Beispiel, wie wir unsere letzte Stunde erwarten können, die ganz sicher zu jedem von uns kommen wird. Er starb, damit wir sieghaft sterben können.

WIE MAN STERBEN KANN

Wir brauchen von keinem Gläubigen zu sagen: „Er ist abgeschieden", sondern wir dürfen sagen: „Er ist angekommen." Der Himmel ist das endgültige Ziel des Christen. Dank Jesus Christus dürfen wir frei sein von der Angst vor dem Tod. Wir dürfen uns von ihm trösten lassen, der uns gezeigt hat, wie wir unserer letzten Stunde entgegengehen können.

ER STARB IN DER RICHTIGEN HALTUNG

Jesus Christus starb mit einer Mischung aus Trauer und Freude. Hören Sie seine Worte in Gethsemane: *„Meine Seele ist sehr betrübt, bis zum Tod. Bleibt hier und wacht mit mir!"* (Mt 26,38). Die Jünger enttäuschten ihn, deshalb bat er seinen Vater, als er allein war: *„Mein Vater, wenn dieser Kelch nicht vorübergehen kann, ohne dass ich ihn trinke, so geschehe dein Wille!"* (V. 42).

Er litt große Schmerzen, als er daran dachte, dass die Sünden der Welt auf ihn geworfen würden. Er würde schon bald rechtlich für schuldig befunden werden, Ehebruch, Diebstahl und Mord begangen zu haben. Als Sündenbock wusste er, dass seine persönliche Reinheit mit der Unreinheit der Sünde beschmutzt werden musste. Er war betrübt bis an den Tod, als er mit dem Schicksal kämpfte, das ihn erwartete.

Doch da war auch Hoffnung. Sein bevorstehender Tod war eine Tür zurück zum Vater, er war der Weg zum Sieg. Ehe er nach Gethsemane ging, sprach er folgende Worte: *„Und nun verherrliche du, Vater, mich bei dir selbst mit der Herrlichkeit, die ich bei dir hatte, ehe die Welt war!"* (Joh 17,5). Wir lesen an anderer Stelle von ihm, dass er das Kreuz ertrug, indem er *„um der vor ihm liegenden Freude willen die Schande nicht achtete … und sich gesetzt hat zur Rechten des Thrones Gottes"* (Hebr 12,2). Kurze Zeit musste er Schmerzen ertragen, doch auf lange Sicht warteten Herrlichkeit und Freude auf ihn.

Wir sollten uns nicht schuldig fühlen, wenn wir den Tod fürchten, denn Jesus Christus selbst fürchtete sich am Abend vor dem schrecklichen Tod am Kreuz. Doch mit der Furcht kam auch der Trost, und Freude und Leid erfüllten dasselbe Herz. Der Tod war schließlich Gottes Wille für Jesus, wie für uns alle.

Eine Tochter sagte von ihrem frommen Vater, der an Krebs starb: „In seinen letzten Tagen verbrachte mein Vater mehr Zeit im Himmel als auf der Erde." Wenn wir über das gegenwärtige Leid auf die Herrlichkeit sehen können, die uns erwartet, dann können wir uns freuen. Der Ausgang ist Trauer, der Eingang ist Freude.

ER STARB ZUR RECHTEN ZEIT

In der Nacht vor seinem Verrat beschloss Jesus Christus, mit seinen Jüngern das Passahfest zu feiern. *„Vor dem Passahfest aber, als Jesus wusste, dass seine Stunde gekommen war, aus dieser Welt zu dem Vater hinzugehen – da er die Seinen, die in der Welt waren, geliebt hatte, liebte er sie bis ans Ende"* (Joh 13,1). Dies war die Stunde, zu der die Furcht von Gethsemane gehörte, der Verrat des Judas und der schreckliche Tod am Kreuz. Interessant ist, dass wir dreimal vorher lesen, dass seine *„Stunde noch nicht gekommen war"* (Joh 7,30; 8,20; s. a. 2,4). Bis „die Stunde" gekommen war, waren seine Feinde machtlos gegen ihn.

Was half Jesus durch diese Stunde? Wir lesen: *„Im Bewusstsein, dass der Vater ihm alles in die Hände gegeben und dass er von Gott ausgegangen war und zu Gott hingehe – steht Jesus von dem Abendessen auf und legt die Oberkleider ab; und er nahm ein leinenes Tuch und umgürtete sich"* (Joh 13,3-4). Er war zur von Gott bestimmten Stunde auf die Erde gekommen, und nun kehrte er auch plangemäß zurück! Es gab nicht die geringste Möglichkeit, dass Jesus eher starb, als Gott es für ihn geplant hatte.

Jesus Christus starb schneller als die meisten anderen, die gekreuzigt wurden. Die Soldaten, werden Sie sich erinnern, brachen seine Beine nicht, weil sie *„sahen, dass er schon gestorben war"* (Joh 19,33). Er starb zwischen drei und sechs Uhr nachmittags, gerade, als die Passahlämmer geschlachtet wurden. Er starb genau zu der Stunde, die Gott geplant hatte, eine Erinnerung daran, dass er *„das Lamm Gottes, das die Sünde der Welt wegnimmt"*, war (Joh 1,29).

Er war erst 31 Jahre alt, jung nach heutiger Ansicht und nach der des antiken Nahen Ostens. Warum nicht erst mit dreiundfünfzig, sodass er noch viele Jahre mehr die Kranken hätte heilen, die Jünger ausbilden und den Menschen die Liebe Gottes predigen können? Zweifellos fragten sich schon zu dieser Zeit die Menschen, so wie es heute auch noch ist, warum die „Gerechten" schon jung sterben, während die „Bösen" bis ins hohe Alter leben dürfen.

Ja, sogar das Verbrechen der Kreuzigung gehörte zu Gottes Plan. *„Denn in dieser Stadt versammelten sich in Wahrheit gegen deinen heiligen Knecht Jesus, den du gesalbt hast, sowohl Herodes als auch Pontius Pilatus mit den Nationen und den Völkern Israels, alles zu tun, was deine Hand und dein Ratschluss vorherbestimmt hat, dass es geschehen sollte"* (Apg 4,27-28). Sie konnten erst handeln, als Gottes Stunde geschlagen hatte. „Die Stunde" war gekommen!

Jesus starb jung, aber sein Werk war vollendet. Wir brauchen nicht lange zu leben, damit wir all das tun, was Gott für uns geplant hat. Einige der besten Diener Gottes sind jung gestorben – aus unserer Sicht zu früh, aber zur rechten Zeit aus Gottes Sicht. Auch sie haben das Werk vollbracht, das Gott ihnen auftrug.

Der Tod eines Kindes scheint uns wie Spott zu sein, weil Gott ein Leben nimmt, ehe sie oder er die Freude hatte, etwas im Leben zu erreichen. Wie Jung sagt: „Es ist, als ob man den Punkt vor den Satz setzt." Doch auch das kurze Leben eines Kindes kann den Willen Gottes erfüllen. Obwohl wir es nicht verstehen können, hat dieses Kleine „das Werk vollbracht, das Gott ihr oder ihm aufgetragen hat". Obwohl das Kleine jetzt im Himmel ist, wird doch sein Dienst an seinen Eltern und Verwandten fortgesetzt.

Jim Elliot, der in jungen Jahren bei der Missionsarbeit unter den Aucas ermordet wurde, hat einmal gesagt: „Gott bevölkert den Himmel, warum sollte er sich da auf alte Leute beschränken?"

Ja, warum? Wenn es dem Allmächtigen gefällt, hinabzugreifen und eines seiner Schäfchen zu sich zu holen, oder wenn es ihm gefällt, einen seiner Diener in der Blüte seines Lebens zu sich zu rufen, dann hat er das Recht dazu. Wir meinen nur, dass dies grausam ist, weil wir nicht hinter den dunklen Vorhang blicken können.

Natürlich, wenn wir es von unserem Standpunkt aus betrachten, können wir unseren Tod durch schlechte Essgewohnheiten und andere Formen der Sorglosigkeit schneller herbeiführen. Und manchmal verursachen Menschen auch absichtlich den Tod eines anderen. Mütter lassen Kinder abtreiben, Diebe ermorden ihre Opfer – in diesen Fällen macht Gott Menschen für ihre Handlung verantwortlich.

Doch lassen Sie uns mutig sagen, dass sogar dann, wenn ein Gläubiger von bösen Menschen ermordet wird (und Jim Elliot ist ein Beispiel dafür), so jemand nach dem vorhersehenden Plan Gottes stirbt. Wenn Jesus Christus, der von den herrschenden Juden brutal umgebracht wurde, nach Gottes Plan starb, warum sollten wir dann annehmen, dass ein Gläubiger, der von einem Dieb erschossen wird, weniger unter der Fürsorge des Allmächtigen steht? Autounfälle, Herzanfälle, Krebs, all diese sind Mittel, um den Kindern Gottes die

Tür zum Himmel zu öffnen. Die unmittelbare Ursache unseres Todes ist weder zufällig noch willkürlich. Der Gott, der die Haare auf unserem Kopf gezählt hat und der auch den Spatz sieht, der vom Himmel fällt, hat das Schicksal eines jeden von uns jeden Tag in seiner liebevollen Hand.

Unser Tod ist genauso gründlich vorhergeplant wie der Tod Jesu. Es gibt keine Kombination aus Verbrechern, Krankheit oder Unfall, die uns umbringen kann, solange Gott noch Arbeit für uns hat. Diejenigen, die im Glauben an Gottes Vorsehung leben, sterben nach Gottes Zeitplan.

Diese Tatsache sollte uns von falscher Schuld befreien. Die Mutter, die etwas abwesend „Ja" sagt, als ihre Tochter fragt, ob sie über die Straße gehen dürfe, nur um zu sehen, wie ihre Tochter von einem Lastwagen überfahren wird – diese liebe Frau muss verstehen, dass ihre Kleine auch durch die vorhersehende Hand Gottes gestorben ist. Hätte der Allmächtige nicht veranlassen können, dass der Lastwagen einen Augenblick früher oder später vorbeifährt? Oder könnte die Mutter nicht zu einer anderen Zeit dort vorbeigekommen sein? Ja, auch Unfälle passieren unter der Vorsehung Gottes.

Manchmal sind Seelsorger sehr vorsichtig, einer christlichen Familie zuzusagen: „Gott hat euer Kind genommen." Einige sind der Meinung, es sei besser zu sagen: Der Krebs hat euch euer Kind genommen", oder: „Ein betrunkener Fahrer hat euch euer Kind genommen:" Doch der Christ kann über diese vordergründigen Ursachen hinausblicken. Er weiß, dass Gott Krankheiten in Schach halten und die Verbrecher von Untaten abhalten kann. Die unmittelbare Todesursache mag irgendetwas sein, aber die eigentliche Ursache ist Gott. Ja, Verbrecher haben Jesus ans Kreuz genagelt, und doch lesen wir: „*Doch dem Herrn gefiel es, ihn zu zerschlagen. Er hat ihn leiden lassen*“ (Jes 53,10).

Wir sollten klar sagen, dass Gott die sechs Kinder der Familie Willis zu sich genommen hat. Gott hat auch die Frau zu sich genommen, deren Krebs zu spät für die Behandlung entdeckt wurde. Gott nahm auch das Kind zu sich, das bei einer Schießerei von einer Kugel getroffen wurde. Und eines Tages wird Gott Sie und mich zu sich holen.

ER STARB AUF DIE RICHTIGE WEISE

Wir haben betont, dass es viele Arten zu sterben gibt: Krankheit, Unfall, Mord, um nur einige zu nennen. Die Umstände sind bei jedem anders. Nach Gottes Plan sollte Jesus Christus am Kreuz sterben, denn es war ein Symbol der Erniedrigung und das unmissverständliche Zeichen dafür, dass er von Gott verflucht wurde. Es war ein würdeloser Tod.

Es gab kein sauberes Krankenhauszimmer, keine Decke, die seinen blutbefleckten Leib verdeckt hätte. Er starb ohne Würde, nackt gekreuzigt, sodass alle ihn sehen konnten. Heute sterben die meisten Leute unter schweren Betäubungs- und Schmerzmitteln, sodass ihr Ende so friedlich wie möglich ist. Als Jesus Wein mit Myrrhe angeboten wurde, lehnte er das antike Betäubungsmittel ab, sodass er sich seiner Umgebung voll bewusst blieb. Er nahm alle Schrecken auf sich, die der Tod zu bieten hatte.

Wenn die Zeit unseres Todes von Gott bestimmt wird, dann auch die Ursache. Jesus Christus sagte z. B. voraus, wie Petrus sein Leben beenden würde: „*Wahrlich, wahrlich, ich sage dir: Als du jünger warst, gürtetest du dich selbst und gingst, wohin du wolltest; wenn du aber alt geworden bist, wirst du deine Hände ausstrecken, und ein anderer wird dich gürten und hinbringen, wohin du nicht willst.*" Dann fügt Johannes hinzu: „*Dies aber sagte er, um anzudeuten, mit welchem Tod er Gott verherrlichen sollte*" (Joh 21,18-19). Als Petrus alt war, wurde er an ein Kreuz gebunden, und seine Hände wurden ausgestreckt. Er wurde wahrscheinlich verkehrt herum gekreuzigt, weil er sich unwürdig fühlte, auf dieselbe Weise gekreuzigt zu werden wie Jesus. Kann jemand leugnen, dass Jesus Christus die Art und Weise bestimmte, wie Petrus sterben sollte?

Sehr wahrscheinlich werden wir nicht durch Kreuzigung sterben. Doch auch hier wissen wir, dass Gott letztendlich bestimmt. Wir sind dankbar, dass Jesus Christus sagen konnte: „*Und fürchtet euch nicht vor denen, die den Leib töten, die Seele aber nicht zu töten vermögen; fürchtet aber vielmehr den, der sowohl Seele als auch Leib zu verderben vermag in der Hölle*" (Mt 10,28). Wenn wir Gott fürchten, dann brauchen wir nichts anderes mehr zu fürchten.

Wenn die Einberufung für uns kommt, dann ist es, als ob ob wir in einem Konzert sitzen und die Musik genießen, nur dass unser Name ausgerufen wird, ehe die Vorstellung zu Ende ist. Es wird so sein, als ob wir ein Haus bauen, wir aber gesagt bekommen, dass wir nicht darin leben können. Diese abrupte Störung aller unserer Pläne wird uns jedoch in unsere ewige Heimat führen.

ER STARB FÜR DEN RICHTIGEN ZWECK

Jesu Tod war nicht nur das tragische Ende eines schönen Lebens. Nach Gottes Willen erlöste er durch seinen Tod das Volk, das Gott erwählt hatte. Jesus Christus nennt diese Menschen ein Geschenk des Vaters an sich: „*die, welche du mir gegeben hast*" (Joh 17,9). Als er rief: „*Es ist vollbracht!*", war seine Aufgabe erfüllt (Joh 19,30).

Offensichtlich wird unser Tod niemanden erlösen, aber er ist das Mittel, durch das wir erlöst werden, weil Jesus Christus uns erkauft hat. Der Tod ist die Tür, durch die wir die Beschränkungen und Leiden dieser Welt hinter uns lassen und in das himmlische Reich eingehen können. Unser Tod dient also einem göttlichen Zweck.

Obwohl wir für die Wunder der modernen Medizin dankbar sind, kommt doch die Zeit, zu der jeder Gläubige den Ruf „nach oben“ hört und ihm gehorchen muss. Wie oft bitten wir sofort um Heilung, wenn ein Christ krank wird. Wie können wir so sicher sein, dass es nicht Gottes Zeit ist, ihn in das Erbe eintreten zu lassen, das für ihn aufbewahrt ist (1Petr 1,4)?

Wenn jemand lange gelebt hat und kaum eine Hoffnung hat, sich wieder zu erholen, dann müssen wir ihn einfach im Glauben Gott übergeben, statt noch riesige Anstrengungen zu unternehmen, um seiner bedauernswürdigen Existenz noch einen Tag hinzuzufügen. Der Tag unseres Todes ist auch der Tag unserer Verherrlichung. Der Tod ist das Portal, die Tür zur Ewigkeit. Eines Tages, zu dem von Gott festgesetzten Zeitpunkt, wird das Portal sich öffnen, um ein Kind Gottes heimzuholen, dorthin, wo sie oder er hingehören.

ER STARB, INDEM ER SICH DEM RICHTIGEN ANVERTRAUTE

Der Tod kann eine Zeit des Vertrauens auf Gottes Rettung sein. Jesu letzte Wort waren: *„Vater, in deine Hände übergebe ich meinen Geist!“* (Lk 23,46). Auf diese Weise starb er, indem er sich seinem Vater anvertraute, den er so sehr liebte. Auch wir können sterben, indem wir unsere Ewigkeit den Händen unseres Vaters im Himmel anvertrauen.

Viele Christen glauben, dass Jesus Christus auch in der Hölle war (genauer gesagt, im Hades), ehe er zum Vater ging. Diese Lehre ist vom apostolischen Glaubensbekenntnis bekräftigt worden, wo es heißt: „Hinabgestiegen in das Reich des Todes."

Zu Pfingsten zitierte Petrus Psalm 16,10 und wandte ihn auf Jesus an: *„Denn du wirst meine Seele nicht im Hades zurücklassen, noch zugeben, dass dein Heiliger Verwesung sieht"* (Apg 2,27). Wahrscheinlich ging die Seele Jesu in den Hades oder Scheol. Doch wir müssen daran denken, dass der Hades zwei Abteilungen hat, die eine für die Gerechten, die andere für die Ungerechten. Dass Jesus die Seite der Gerechten besuchte, ergibt sich aus den Worten, die er an den Verbrecher richtete, der am Kreuz zu seiner Linken hing: *„Heute wirst du mit mir im Paradies sein"* (Lk 23,43).

Weil Jesus vor dem anderen Verbrecher starb, wartete unser Herr auf ihn; dort im Paradies begegneten sie sich wieder, um sich diesmal über die Herrlichkeit der Ewigkeit zu unterhalten. Die Sünden, die der Verbrecher begangen hatte, waren alle in dem Moment ausgewischt, als er an den sterbenden Christus glaubte.

Überlegen Sie einmal, welch einen Glauben dieser Verbrecher hatte! Menschlich gesprochen schien Jesus nicht besser dran zu sein als er selbst. Wir brauchen kaum zu erwähnen, dass Jesus sicher nicht wie ein Erlöser aussah, als er sich vor Schmerzen am Kreuz wand. Doch etwas ließ den Verbrecher aufmerken. Vielleicht hatte er, schon lange bevor sie sich auf Golgatha begegneten, von Jesus gehört. Oder vielleicht waren es die Worte, die Jesus sprach, und seine Haltung. Was auch immer der Grund war, der Verbrecher glaubte und wurde gerettet.

Der Dieb auf seiner anderen Seite lehnte Jesus Christus ab und verspottete ihn: *„Bist du nicht der Christus? Rette dich selbst und uns!“* (Lk 23,39). Er dachte nur an die Errettung seines Körpers, nicht an die seiner Seele. Wenn er mit dieser ablehnenden Haltung gestorben ist, wie es uns die Schrift nahelegt, dann begegnete er Jesus nicht im Paradies.

Jesus Christus ging nicht in den Hades, um für uns zu leiden. Das gesamte Neue Testament lehrt und betont, dass sein Leiden am Kreuz geschah, als er sein Blut vergoss. Dort wurde unsere Schuld beglichen. Als seine Seele seinen Körper verließ, fand er sich selbst in der Gegenwart Gottes wieder, zusammen mit dem bußfertigen Verbrecher. Drei Tage später wurde Jesus von den Toten mit einem verherrlichten Körper auferweckt und fuhr später in den Himmel auf.

Wie sollen wir unser Verständnis des Todes Jesu zusammenfassen? Der direkte Anlass war der Zorn der jüdischen Führer und die Hilfe der Römer bei der Durchführung dieser ungerechten Hinrichtung. Doch letztlich war Gott der Grund. *„Doch dem Herrn gefiel es, ihn zu zerschlagen. Er hat ihn leiden lassen“* (Jes 53,10).

Vor seinem Tod hatte Johannes Calvin dasselbe Vertrauen, als er sagte: „Herr, du hast mich geschlagen. Doch ich bin damit völlig zufrieden, denn es kam aus deiner Hand.“ Der Tod kann dem Christen nichts nehmen. Gesundheit, Reichtum und Freude – all das wird in größerer Fülle erscheinen, wenn unsere Seele zu Gott findet.

William Cowper fasste die Erlösungsgeschichte und die Geschichte des Schächers am Kreuz in diesem Lied zusammen:

Es gibt einen Brunnen voll Blut
aus den Adern Immanuels,

und Sünder, die unter dieser Flut stehen,
verlieren alle Flecken ihrer Schuld.

Der sterbende Schächer freute sich,
dass er diesen Brunnen in seinen
Tagen sehen durfte,
und dort darf ich, so verdorben wie er,
auch meine Sünde abwaschen lassen.

Wenn diese arme, lispelnde und stotternde
Zunge still im Grabe liegt,
dann werde ich anstimmen einen edleren,
süßeren Gesang von deiner Erlösermacht.

Unsere zukünftige Existenz liegt weder in der Hand der Ärzte noch in der Hand einer Krankheit noch in der Hand eines Betrunkenen, der auf der Autobahn unser Auto rammt. Unser Leben liegt in der Hand des Allmächtigen, der jedes Mittel benutzen kann, das ihm gefällt – einschließlich der oben angegebenen –, um uns zur Himmelspforte zu bringen.

Vielleicht wird unser Name ja heute aufgerufen.

WISSEN, WO MAN DIE ZUKUNFT VERBRINGT

Was Gott verlangt – Es festmachen

Diejenigen von uns, die schon einmal in ein fremdes Land gereist sind, wissen, wie wichtig ein Pass ist. Ganz gleich, welche Stellung Sie besitzen oder welche Persönlichkeit Sie sind, dieses Dokument berechtigt Sie, in ein fremdes Land einzureisen und von den Menschen dort aufgenommen zu werden.

Obwohl ich seit mehr als fünfundzwanzig Jahren in den USA lebe, bin ich doch noch immer ein Bürger Kanadas. Mit meinem kanadischen Pass brauche ich nicht zu fürchten, dass ich nicht nach Kanada hineingelassen werde, wenn meine Familie während des Sommers dort Ferien macht. Meine Frau und meine Kinder, die Amerikaner sind, kommen mit Duldung der kanadischen Regierung, aber ich darf hinein, weil ich das Recht dazu habe.

Wir brauchen einen Pass, um in den Himmel zu kommen, wenn das das Land ist, in das wir hineinwollen. Diejenigen, die das richtige Dokument haben, können sich schon lange vor ihrer Ankunft an ihren Bürgerrechten erfreuen. Paulus schreibt: *„Denn unser Bürgerrecht ist in den Himmeln, von woher wir auch den Herrn Jesus Christus als Retter erwarten“* (Phil 3,20).

Von den Erlösten wird sogar ausgesagt, dass sie schon mit Christus auferstanden sind und im Himmel wohnen (Eph 2,6). Weil wir dort unser Aufenthaltsrecht haben, brauchen wir an der Grenze keine Komplikationen zu befürchten. Was zählt, ist unser Dokument, das vom Türwächter anerkannt wird.

Glauben Sie *nicht*, dass Sie ohne die notwendigen Papiere in den Himmel kommen. Sie werden dort *nicht* hineinkommen, weil Ihre Frau das Recht hat, und Sie werden auch *nicht* hineinkommen, weil schon ein Kind von ihnen hineingelassen wurde. Nein, das ist eine ganz individuelle Angelegenheit, und nur diejenigen mit dem richtigen Dokument werden eingelassen.

Das ist eine andere Art zu sagen, dass niemand in den Himmel kommen kann, ohne dass Gott sein besonderes Einverständnis gegeben hat. Unser Problem ist natürlich, dass Gott uns nicht so annehmen kann, wie wir sind. Wir können nicht zum Himmelstor kommen, wenn wir nur auf Nachsicht hoffen. Wir können nicht kommen und eine Extrabehandlung erbitten, wenn wir einmal durch den Vorhang geschritten sind. Pässe gibt es nur auf der anderen Seite der Grenze.

WAS GOTT VERLANGT

Wie vollkommen müssen Sie sein, um in den Himmel zu kommen? Die Antwort ist ganz einfach: So vollkommen wie Gott. Wenn Sie also nicht so vollkommen sind wie er, sollten Sie sich jeden Gedanken an das Himmelreich aus dem Kopf schlagen! Das Christentum, ob katholisch oder protestantisch, hat schon immer gelehrt, dass wir so vollkommen wie Gott sein müssen, um durch die Perlentore schreiten zu dürfen.

Die Frage lautet natürlich: Wie können sündige Menschen so vollkommen wie Gott sein? Die Antwort: Gott kann uns seine eigene Vollkommenheit schenken, seine eigene Gerechtigkeit kann uns angerechnet werden, sodass wir direkt nach dem Tod in den Himmel kommen können, ohne Zwischenaufenthalt.

Als Jesus Christus am Kreuz starb, brachte er ein Opfer für die Sünder, das Gott angenommen hat. Obwohl Jesus Christus vollkommen war, zog Gott ihn rechtlich zur Verantwortung für alle unsere Sünden. Im Gegenzug erhalten wir seine Gerechtigkeit. *„Den, der Sünde nicht kannte, hat er für uns zur Sünde gemacht, damit wir Gottes Gerechtigkeit wurden in ihm"* (2Kor 5,21).

Welch eine Gnade!

Das bedeutet doch, dass Jesus Christus als Sünder angesehen wurde, als er unsere Sünde trug, und wir werden als Heilige angesehen, wenn wir seine Gerechtigkeit empfangen. Obwohl wir sehr unvollkommen sind, werden wir als *„Gottes Gerechtigkeit"* angesehen. Gott hat überaus hohe Ansprüche, aber wir können ihm dafür danken, dass er sie auch für uns erfüllt.

Vielleicht meinen Sie, Sie hätten zu viel gesündigt, um solch ein Geschenk annehmen zu können. Nun, ich möchte, dass Sie wissen, dass Gott auch den größten Sünder retten kann – sogar Verbrecher. Die Menge unserer Sünden ist kein Hindernis, nur unser Unglaube trennt uns von Gottes Barmherzigkeit und Vergebung.

Wenn wir Jesu Gerechtigkeit empfangen, dann findet gleichzeitig noch ein anderes Wunder an uns statt. Gott gibt uns eine neue Natur, er verändert uns von innen heraus. Jesus sagte zu Nikodemus, einem jüdischen Gelehrten: *„Wahrlich, wahrlich, ich sage dir: Wenn jemand nicht von Neuem geboren wird, kann er das Reich Gottes nicht sehen"* (Joh 3,3). Offensichtlich können wir uns selbst nicht von Neuem gebären. Das muss Gott selbst für uns tun.

Was müssen wir tun, um das Geschenk der Gerechtigkeit und eine neue Natur zu bekommen? Die Antwort lautet: Unsere Hilflosigkeit eingestehen, anerkennen, dass wir von Gottes Barmherzigkeit abhängig sind. Dann müssen wir unser ganzes Vertrauen auf Jesus Christus legen, dass er alle unsere Schuld getragen hat. *Wir müssen an ihn als den glauben, der alles getan hat, was nötig ist, um in Gottes heiliger Gegenwart bestehen zu können.* An Jesus Christus glauben heißt, nach bestem Wissen und Gewissen ihm zu vertrauen in allem, was wir in diesem und im zukünftigen Leben brauchen werden.

Wie sicher können wir sein, dass wir die Ewigkeit bei Gott verbringen werden? Wir können so sicher sein, dass uns der Tod nicht mehr zu schrecken braucht. Ja, es gibt ein Geheimnis, ja, wir alle zittern davor, unseren Körper zu verlassen und in der zukünftigen Welt wieder aufzuwachen. Doch wenn wir uns Jesus Christus anvertraut haben, dann wissen wir, dass er mit uns durch den geöffneten Vorhang schreitet.

Im Neuen Testament lehrt Paulus, dass die Menschen, die zu Christus gehören, ganz sicher sein können, dass sie in den Himmel kommen werden. Obwohl diese Verse einige theologische Ausdrücke enthalten, werden Sie verstehen, was Paulus meint: *„Denn die er vorher erkannt hat, die hat er auch vorherbestimmt, dem Bild seines Sohnes gleichförmig zu sein, damit er der Erstgeborene ist unter vielen Brüdern. Die er aber vorherbestimmt hat, diese hat er auch berufen; und die er berufen hat, diese hat er auch gerechtfertigt; die er aber gerechtfertigt hat, diese hat er auch verherrlicht"* (Röm 8,29-30).

Wir sind schon verherrlicht! Ja, sogar unsere Ankunft im Himmel hat schon stattgefunden. Diejenigen, die Gott erwählt – d. h. diejenigen, von denen er schon vorher weiß, und die er dazu bestimmt –, diese sind die Gerechtfertigten, und allen diesen ist eine gute Reise in ihre himmlische Heimat sicher. Niemand geht auf dem Weg verloren; in Gottes Augen haben sie schon ihren Herrlichkeitskörper! Denn Gott ruft *„das Nichtseiende, wie wenn es da wäre“* (Röm 4,17).

Hier haben wir eine weitere Verheißung für diejenigen, die dem Tod gegenüberstehen. Paulus sagte, dass nichts Gottes Kinder von seiner Liebe scheiden kann. Dann fügt er hinzu: *„Denn ich bin überzeugt, dass weder Tod noch Leben, weder Engel noch Gewalten, weder Gegenwärtiges noch Zukünftiges, noch Mächte, weder Höhe noch Tiefe, noch irgendein anderes Geschöpf uns wird scheiden können von der Liebe Gottes, die in Christus Jesus ist, unserem Herrn“* (Röm 8,38-39). Der Tod ist nicht erfolgreicher bei dem Versuch, uns von der Liebe Jesu zu trennen, als das Leben.

Was ist Jesu Haltung zu unserer Heimkehr? Mehrmals wird im Neuen Testament davon gesprochen, dass Jesus Christus „zur Rechten Gottes“ sitzt. Doch an einer Stelle wird erwähnt, dass er seinen Thron verlässt und aufsteht, nämlich als er einen seiner Jünger in seinem Reich willkommen heißt. Als Stephanus gesteinigt wird, lesen wir: *„Da er aber voll Heiligen Geistes war und fest zum Himmel schaute, sah er die Herrlichkeit Gottes und Jesus zur Rechten Gottes stehen“* (Apg 7,55).

So stand der thronende Sohn Gottes auf, um einen der Seinen im Himmelreich zu begrüßen. Der Tod eines Gläubigen mag in der Welt unbemerkt vor sich gehen, doch im Himmel ist er eine Überschrift auf der ersten Seite wert. Der Sohn Gottes bemerkt uns. Er ist dort, um uns willkommen zu heißen.

D. L. Moody durfte bei seinem Tod einen Einblick in den Himmel bekommen. Als er aufwachte, sagte er:

„Die Erde bleibt zurück, und der Himmel öffnet sich für mich. Wenn das der Tod ist, so ist er süß! Hier gibt es keine Täler. Gott ruft mich, und ich muss gehen!"

Kurz bevor John Bunyan starb, sagte er: „Weint nicht um mich, sondern um euch. Ich gehe zum himmlischen Vater unseres Herrn Jesus Christus, der mich durch seinen geliebten Sohn annehmen wird, obwohl ich ein Sünder bin. Dort werden wir uns treffen, um das neue Lied zu singen, und in einer ewig glücklichen Welt ohne Ende leben."

Erinnern Sie sich an die Worte Hamlets in Shakespeares Drama? Als er über sein Leben nachdachte, sagte er: „Sein oder Nichtsein, das ist hier die Frage" (III.i. 56). Er dachte über einen Selbstmord nach, weil sein Leben unerträglich geworden war. Doch als er nachdachte, wohin ihn das führen würde, fuhr er fort:

Ob's edler im Gemüt, die Pfeil und Schleudern
Des wütenden Geschicks erdulden, oder,
sich waffnend gegen eine See von Plagen,
Durch Widerstand sie enden? Sterben – Schlafen –
Nichts weiter! – und zu wissen, dass ein Schlaf
Herzweh und die tausend Stöße endet,
Die unsers Fleisches Erbteil – 's ist ein Ziel,
Aufs innigste zu wünschen. Sterben – schlafen –
Schlafen! Vielleicht auch träumen! – Ja, da liegt's:
Was in dem Schlaf für Träume kommen mögen,
Wenn wir den Drang des Ird'schen abgeschüttelt?
(III.i. 58–67)

Hamlet findet den Selbstmord sowohl anziehend als auch abstoßend. Wenn er sicher sein könnte, dass dieser ihn aus seinem Meer von Schwierigkeiten befreit, würde er ihn begehen, doch er fürchtet „Das unentdeckte

Land, von des Bezirk / Kein Wandrer wiederkehrt" (III.i. 79–80). Seine gegenwärtigen Schwierigkeiten könnten sich als angenehm erweisen gegenüber dem Schicksal, das ihn dort erwarten könnte.

Vergleichen Sie Hamlets Dilemma nun mit dem Paulus':

> *Denn das Leben ist für mich Christus und das Sterben Gewinn. Wenn aber das Leben im Fleisch mein Los ist, dann bedeutet das für mich Frucht der Arbeit, und dann weiß ich nicht, was ich erwählen soll. Ich werde aber von beidem bedrängt: Ich habe Lust, abzuscheiden und bei Christus zu sein, denn es ist weit besser; das Bleiben im Fleisch aber ist nötiger um euretwillen. (Phil 1,21-24).*

Hamlet sagt: „Ich verliere, ob ich lebe oder sterbe." Paulus sagt: „Ich gewinne, ob ich lebe oder sterbe."

Welch einen Unterschied macht Jesus Christus doch in unserem Leben aus!

ES FESTMACHEN

Hier ist ein Gebet, das Sie sprechen können, ein Gebet, das Ihr Verlangen ausdrückt, Ihr Vertrauen allein auf Jesus zu setzen, dass er sie für immer erlöst. Dieses Gebet kann die Verbindung zu Gott für Sie werden. Und wenn Sie es im Glauben beten, dann wird Gott Sie annehmen.

> *Ewiger Gott,*
> *ich weiß, dass ich ein Sünder bin und dass ich nichts tun kann, um mich selbst zu erlösen. Ich bekenne meine vollkommene Hilflosigkeit, mir selbst eine*

Sünde zu vergeben oder mir meinen Weg in den Himmel zu verdienen. Heute will ich auf Jesus Christus allein vertrauen als dem Einen, der meine Sünde trug, als er am Kreuz starb. Ich glaube, dass er alles Nötige getan hat, damit ich in deiner heiligen Gegenwart bestehen kann.

Ich danke dir, dass Jesus Christus als Garantie für meine eigene Auferstehung von den Toten auferweckt wurde. So gut ich kann, setze ich mein Vertrauen jetzt auf ihn. Ich bin dankbar, dass er versprochen hat, mich trotz meiner vielen Sünden und meines häufigen Versagens anzunehmen. Vater, ich nehme dich bei deinem Wort. Ich danke dir, dass ich nun dem Tod vertrauensvoll entgegensehen kann, weil du jetzt mein Retter bist. Danke für die Verheißung, dass du mit mir durch das tiefe Tal gehen willst.

Danke, dass du dieses Gebet gehört hast. Im Namen Jesu, Amen.

Hier nun einige Verheißungen, die all denen gegeben sind, die auf Jesus Christus allein vertrauen, dass er ihnen Zutritt zum Himmel gewährt.

- Jesus sagte: „*Ich bin die Auferstehung und das Leben; wer an mich glaubt, wird leben, auch wenn er gestorben ist; und jeder, der da lebt und an mich glaubt, wird nicht sterben in Ewigkeit*" (Joh 11,25-26).
- Der Verfasser des Hebräerbriefes schrieb: „*Weil nun die Kinder Blutes und Fleisches teilhaftig sind, hat auch er in gleicher Weise daran Anteil gehabt, um durch den Tod den zunichtezumachen, der die Macht des Todes hat, das ist den Teufel, und um alle die zu befreien, die durch Todesfurcht das ganze Leben hindurch der Knechtschaft unterworfen waren*" (Hebr 2,14-15).

- Paulus fragte: *„Wo ist, Tod, dein Sieg? Wo ist, Tod, dein Stachel?“* (1Kor 15,55).
- Johannes sichert uns zu: *„Und ich hörte eine Stimme aus dem Himmel sagen: Schreibe: Glückselig die Toten, die von jetzt an im Herrn sterben! Ja, spricht der Geist, damit sie ruhen von ihren Mühen, denn ihre Werke folgen ihnen nach“* (Offb 14,13).

Wir wissen nicht, wer als nächster den göttlichen Ruf vernimmt. Lassen Sie uns bereit sein, wenn er kommt.

ANMERKUNGEN

Einleitung

1 C. S. Lewis: „The Weight of Glory“ in: *The Weight of Glory and Other Addresses*, New York: Macmillan, 1980, S. 18–19.

Kapitel 1

2 Tom Howard: *Christianity Today*, 29 / März 1974, S. 31.

3 Martha Smilgis: „Hollywood Goes to Heaven“, *Time*, 3. Juni 1991, S. 70.

4 James A. Pike: *The Other Side*, New York: Doubleday, 1968, S. 115.

5 Raymond Moody: *Life After Life*, Covington: Mockingbird, 1975.

6 Melvin Morse: *Closer to the Light*, New York: Ivy, 1990, S. 33.

7 Betty J. Eadie und Curtis Taylor: *Embraced by the Light*, Placerville: Gold Leaf, 1992.

8 Ebd.

9 Philip J. Swihart: *The Edge of Death*, Downers Grove: InterVarsity, 1978.

10 Maurice S. Rawlings: *Beyond Death's Door*, Nashville: Nelson, 1978.

Kapitel 2

11 Zur ausführlicheren Auseinandersetzung von Scheol und Hades vgl. *Death and the Afterlife* von Robert A. Morey, Minneanapolis: Bethany, 1984, S. 72–87.

Kapitel 3

12 Zur vollständigeren Kritik des Seelenschlafs vgl. *Death and the Afterlife* von Robert A. Morey, Minneanapolis: Bethany, 1984, S. 199–222.

13 Joseph Bayly: *The View from a Hearse*, Elgin: David C. Cook, 1969, S. 36.

Kapitel 4

14 Steve Saint: „Did They Have to Die?“, *Christianity Today*, 16. September 1996, S. 26.

Kapitel 5

15 David Gregg: *The Heaven-Life*, New York: Revell, 1895, S. 62.

16 Richard Whately: *A View of the Scripture Revelations Concerning a Future State*, 3. Aufl., Philadelphia: Lindsay & Blakiston, 1857, S. 214–215.

17 Wilbur M. Smith: *Biblical Doctrine of Heaven*, Chicago: Moody, 1968, S. 253.

18 Joseph Seiss: *Lectures on the Apocalypse*, New York: Charles C. Cook, 1901, S. 412–413; zitiert in Wilbur Smith: Biblical Doctrine, S. 249.

Kapitel 6

19 John A. Robinson: „Universalism: Is It Heretical?“, *Scottish Journal of Theology*, Juni 1949, S. 155.

20 Percy Dearmer: *The Legend of Hell*, London: Cassell, 1929, S. 74–75.

21 Robert Morey: *Death and the Afterlife*, Minneanapolis: Bethany, 1984, S. 90.

22 Walter B. Knight: *Knight's Master Book of New Illustrations*, Grand Rapids: Eerdmanns, 1956, S. 159.
23 Charles Hodge: *Systematic Theology*, Bd. 3, Teil 4, Grand Rapids: Kregel, 1977, S. 198–205.
24 Warren Wiersbe: *Treasury of the World's Great Sermons*, Grand Rapids: Kregel, 1977, S. 198–205.